教えて椎名先生 prime

椎名慎太郎

石部典子

山梨日日新聞社

目次

四　ふるさと山梨をほんの少しよそ者の視点で

～「南北問題と同じ構造があったと考えるべきです」

イラストレーション・本田しずまる

まえがきに代えて

石部　「教えて椎名先生」は、ＦＭ甲府の「ごきげんな昼下がり」の中のコーナーとしてスタートして一五年になります。

椎名　このコーナーからは二〇一〇年に「教えて椎名先生〜コミュニティ放送の知的冒険」（山梨新報社）という本が生まれました。二〇一三年に「もっと教えて椎名先生」（山梨ふるさと文庫）が出たあと、思いがけず、七年ぶりに三冊目ができました。今回は、山梨日日新聞社からの刊行で嬉しく思っています。

石部　一五年間、椎名先生には休むことなく様々な話題を取り上げていただきお考えを伺ってきました。ずいぶんご苦労があったのではないでしょうか？

椎名　正直なところこんなに続くとは、考えていませんでした。色々なことがありましたが、私が最初に石部さんから依頼された「番組の知的な核になるコーナー」を目指して、二人で協力して続けて参りました。

石部　ここ数年の社会の流れはどう感じていらっしゃいますか？

椎名　正直言ってあまりいい方向には向かっていません。それでも、私たちが毎週「教えて椎名先生」を続けている動機には、自分たちの好奇心を満足させることと同時に、何とか少しでも皆が住みよくてゆったりできる社会の実現を願う気持ちがあります。

石部　八周年記念のゲストとして色川大吉先生にお越しいただいたとき、社会に対して「諦めてはいけません」と教えていただきました。

椎名　そうです。自分がよいと思う社会を実現したいという気持ちを忘れてはいけません。そんな思いがあることを頭の片隅に置いて読んでいただけると幸いです。

ＦＭ甲府の中山法正常務、担当ディレクターの岡田千奈さんをはじめ、刊行についてお世話をかけた皆様に心からお礼を申し上げます。

石部　寛容に粘り強くお付き合いくださった山梨日日新聞社の担当編集者・古畑昌利さん、素敵なイラストレーションで彩ってくださった本田しずまるさん、そしてここまで支え続けてくださったリスナーの皆様にもお礼を申し上げたいと思います。どうもありがとうございました。

それでは、「コミュニティ放送の知的冒険」の旅へご一緒に。

一

好奇心に動かされて

～「討ち入りの夜に雪は降ったか」

石を投げる

（二〇一三年七月二日放送）

石部　先生はこれまで何冊も本を出していらっしゃいますが、特に印象深いのはどれでしょうか。

椎名　私の最初の一般向けの本は、一九八三年に講談社から出た『歴史を保存する』という本です。ここでは「歴史」という要素として、考古学的遺跡、歴史的町並みなどと共に、地名を重要な歴史の証言者として扱っています。この本の地名の話は、石合戦をした場所を示す「石打場」（神奈川県秦野市）という地名の話から始まります。

石部　「石合戦」ですか。

椎名　ええ、そうです。こんな文章です。「東京新宿から箱根方面に向かう小田急電車で一時間余り、丹沢の山が間近に迫るあたりに渋沢という駅がある。……駅名の由来となった渋沢の本部落は駅から南に五〇〇メートルほどのところだが、この渋沢部落から約一キロ東に『石打場』という珍しい地名がある。……この『石打場』というのは、『印地打』などの地名と共通で、村境で隣接両村が物を投げあう競技をした所とされている。ここの石打場もその例にもれず、旧渋沢村と旧平沢村との境界にあたり、土地の古老の話では、石合戦をした場所だと聞いているという」。

石部　「石合戦」というのは、本当に石を投げ合うんですか。

人は古くから石を投げてきた

椎名　そうなんです。現代では石を投げるというと、デモ隊などが警察と対立して争いになった場面を考えてしまいます。でもヒトはさまざまな機会に石を投げてきました。狩猟の手段でもあるし、戦闘の武器にもなる、そして、石打場のように、ある種のゲーム、実はこれは宗教的儀式でもあるのですが、いろんな形で石を投げてきました。

石部　石を投げることが出来るのは……ヒトだけですか。

椎名　チンパンジーなどの類人猿は、手を使えるので、物を投げるという行為が可能で、実際にやっています。だから、類人猿から分岐したばかりの祖先も石を投げるという行為をしたはずです。考えてみると、ヒトの先祖が木から降りて歩きだした時、大きな牙も持っていない、鋭い爪があるわけでもないわけですから、周囲の世界は危険に満ちていました。そして、当時のヒトは狩猟などがまだ出来なかったと思うので、スカベンジャー、つまり腐肉食をなりわいとしていました。その中で、たまたま見つけた動物の死骸に群がるジャッカルなどを追い払う手段として、手ごろな石を投げつけるという行為は、当たらなくても威嚇効果はあったはずですよね。

石部　なるほど、投石の始まりは敵を追い払うためですか。

投げられた石かどうか

椎名　でも、投石用の石だという判別は難しいことです。

石部　あ、そうですよね。これは投げられた石、こちらは元から転がっていた石という区別はつきませんよね。

椎名　こうした石投げに使われた石は、特別な細工でもしていない限り考古学的にはそれだと証明しにくいのです。ただ、日本の弥生時代になると、ある大きさをした紡錘形又は円形をした土製品（焼き物）が大量に見つかることがあります。典型的なものだと、ラグビーボール型で、長径が五センチ、短径が三センチ程度。これは多分、石投げ具で投げたものだと考えられています。

石部　石投げ具？

椎名　石投げ具というのは、基本的には適当な長さの紐の中央に石をつつむ部分があって、これを二つ折りに持って振り回し、適当なところで一方を離すと遠心力で石が飛んでいくという道具です。日本の一部ではこれを「石もっこ」と呼んでいます。この土製品が実戦用（狩猟や戦闘）であったのか、ある種の習俗的行事としての石合戦で使われたのかは判別のしようがないのですが、こういうものを使って石を投げていたことは間違いないでしょう。

石部　そうなると、その石投げ具を使ってできるだけ遠くへ飛ばす技術が開発されるようになるわけですね。

聖書に出て来る投石

椎名　ギリシャ・ローマや旧約聖書の時代に石投げ具を使って石を飛ばす戦闘法があったことはさまざまな文献に出てきます。有名なのは、後にヘブライ民族の王となったダビデが、若者であった時に、敵であるペリシテの軍の大将である巨人ゴリアテ（ゴライアス）を石投げ具で放った石一発で額を砕き、勝利した話。旧約聖書サムエル記上の第十七章に出てきます。有名なミケランジェロのダビデ像は、この時のダビデの姿で、左手には石投げ具を肩にかけて持った姿で立っています。

石部　ああ、フィレンツェの美術館にある、生まれたままの姿の像ですね。

椎名　複製は世界のあちこちにあるようです。新約聖書には、刑罰として、民衆が石を投げつけて殺すという方法が出てきます。世界各地には中世まで「石打の刑」というのがありました。有名な場面は、イエスに反発する律法学者とかパリサイ人たちが、イエスを試すためにしかけた罠の場面です。イエスが宮で教えているとき、人々が、姦淫をしている現場でつかまった女性をそこにひっぱって来て、律法学者たちは、「モーセはこういう女を石で打ち殺せと命じましたが、あなたはどう思いますか」と詰問するわけです。答えようのない問いかけです。「殺せ」といえば、それまで語ってきた愛の教えに反するし、「放免せよ」といえば、それも攻撃の材料になる。だからイエスは黙って地面に何かを書き続けていましたが、律法学者らが問い続けるので、イエスは「あなた方の中で罪のない者が、まずこの女に石を投げつけるがよい」と答えるわけです。すると、人々は一人又一人とその場を去るしかなかった。これは「ヨハネによる福音書」の第八章に出て来る話です。これから分かるのは、石で打って刑罰にするというやり方があったということです。

本格的兵器としての投石機

石部　その石投げ具は進化していったのですか。

椎名　中世になると、世界各地で城攻め用に大きな石を飛ばす「投石機」が使われるようになります。かなりの大きさの石を遠くへ飛ばすのだから、仕掛けも大掛かりになるんです。大きく三タイプに分かれます。①弾性のある紐で大型のパチンコのように飛ばすタイプ、②長い腕木の先に石を置いて、腕木を回転させて石を飛ばすタイプ、③木の弾性を利用して、それを大型の弓のように使い、真ん中にボーガンのように石をまっすぐ飛ばす溝を作ったもの。これは、かなり方向が定まりますから、有効でした。この仕掛けは、後にミサイルを飛ばす弾道学となっていく考え方を応用しています。

石部　ミサイルの火薬などを使わないバージョンですね。

椎名　中国ではこれを弩《ど》と呼びました。火薬が発明され、砲弾を飛ばすまでは、この「投石機」は城攻めの有効な戦法だったということです。

石合戦の習俗と石の霊力

椎名　さて、本題の石合戦、別名「印字打」ですが、これは民俗行事としての側面と、集団間の争いを形式化したものという側面など複雑な要素が入り混じっているようです。

石部　なぜ、「印字打」と言うのですか。

椎名　これを説明すると大変なんですが、「いしうち」が「いんじうち」になったとする説、それから、土地にマークをしておいて、それを取り合うから「印字」打ちだとか、投石技術に優れた者を「印字」と呼んだとか、さまざまな説があります。

石部　なるほど、難しいものですね。

椎名　この石合戦の根っこには、石には霊力があり、邪気を払うという民間信仰があるらしい。この小石を炒り豆に置き換えると、お節句で鬼を追い出す追儺《ついな》の行事になります。

石部　「鬼は外、福は内」というあれですね。たしかに、石を投げて追い払うのに似ています。

椎名　あるいは、鳥居の上に小石を投げ上げて、これがちゃんと乗ると願がかなうという習俗。これは、今年の大河ドラマ「八重の桜」でも出てきました。このように、小石は単なる道具ではなく、ある種の霊力があるものと信じられてきました。中世から戦国時代には、集落間、あるいは集団間でかなり荒々しい石合戦があり、死者も出たため、権力者がこれを禁じることが繰り返されました。実は、飛礫《つぶて》の対象がしばしばこの権力者に向かうこともあったのです。

石部　現代の投石のように、気に食わないから投げるわけですね。

椎名　そのことが、実は権力者による禁制の本当の理由だったようです。

近代の石合戦

椎名　近代になるとこの石合戦は、多くは子どもの遊びとその年の豊作を願うという、年《とし》占《うら》の意味に変わってきます。古くは五月五日の節句の行事で、田植え前にその年の豊作凶作を占う行事に位置づけられていました。石ではなく、花の菖蒲で切り合うという形の行事もありました。

石部　菖蒲刀《しょうぶがたな》…風流ですね。

椎名　確かに風流です。これも菖蒲の持っている霊力ということがあったようです。さらに古くは、石合戦が大晦日あるいは小正月の行事であった場所もあります。

石部　節目の行事だったのですね。

椎名　村境や川を隔てて向かい合った子どもが石を投げあい、場合によっては怪我人が出るこの行事は、単なる遊びの域を越えているわけです。やはり、諏訪の御柱祭の山出し（御柱となる巨木を大勢の人が乗ったまま崖から滑り落とす行事）のように、祭りに特有の高揚感と、その中で怪我をすることが名誉であるというような、中世以後は表に出にくくなった人間の野性がちょっとだけ顔を出す場面だったのではないでしょうか。教育ママが多くなった現代では考えられませんが、県内でも、いま八〇代後半より上の方の中には、石合戦を見た、あるいは自分もやったという記憶がおありの方がいるかも知れません。

石部　そうですね。わが家の周辺でもいるかも知れません。

椎名　ただし、石投げには、それだけでなく、一人前の男として迎える儀式とか、あるいは、結婚した新婚夫婦の家に石を投げる荒っぽい祝い方という意味もあったようです。

石部　それは荒っぽい。

椎名　石ではなく、水をかける場合もありました。今でも、結婚したてのカップルにものを投げることがありますね。

石部　ああ、ライスシャワーのように。

椎名　あれは、荒々しい祝い方の名残ですよね。この場合、石ではなく水をかけることもありました。それで思い出したんですが、山梨市一町田中の消防団では、出初め式に、消防団員を櫓に上げて、ホースで二〇分間放水をあびせかける行事があります。これは出初めの行事としてよくテレビに出ますよね。一応消防団では「水に対する恐怖心を取り除く」という説明をしているんですが、おそらく、これは元々、成人行事としての石投げや水掛け、成人になった人を鍛える行事と関係しているのではないかと思います。

石部　これも、先ほど出た「一人前」ということでしょうね。

椎名　石合戦というのは、私たちから見ればたしかに野蛮な一面を持っていますが、最近多い、ツイッターを利用して匿名で攻撃するような、実感を伴わない行為とは違います。間違いなく、石が当たれば怪我をするし、石がぶんぶん飛んでくる恐怖感があります。

石部　攻撃する側も同じリスクを負いますしね。

椎名　そうです。我々が他人を攻撃するときに、一回クリックするだけで済むような風潮と比較して、石を投げる行為のなかにある、何か身体に実感があることとの違いを思い出しました。

石部　確かに、攻撃する側の実感、投げる側の痛みやリスクが、ＳＮＳには決定的に欠けているんですね。本来恐怖を伴うはずの臨場感がね。今日は面白い比較をしていただき、ありがとうございました。

天然痘の流行と根絶

（二〇一四年八月一九日放送）

石部　エボラ出血熱が西アフリカでかなり流行していて、ＷＨＯが緊急事態宣言を出しました。

椎名　これは大変ですね。まさに「緊急」と言うほかない深刻な状態です。これまでにも流行病は多くありました。エボラは、今は有効な治療薬がないために対症療法しかできません。いずれはコントロールできるようになると思いますが。

天然痘という流行病

石部　これまで、コントロールして根絶できた例はありますか。

椎名　それがあるんです。二〇〇九年五月にこのコーナーで流行病のお話をしたことがあります。その時にも少しだけお話ししたのですが、一時は大流行して、その後、完全に人類が制御に成功した稀有の流行病が天然痘です。だから、私は肩のあたりにりっぱな種痘の跡を持っているのですが、最近の若者は種痘をしていません。

石部　病気そのものが無くなったから、種痘をする必要がないということですね。天然痘というのは、どんな病気ですか。

椎名　天然痘はウイルスが引き起こす病気で、飛沫や接触で伝染します。罹患すると一〜二週間の潜伏期の後に発症します。四〇度前後の発熱、頭痛などの初期症状のあと、三〜四日するといったん熱が下がります。その後、頭部や顔面を中心に小さなぶつぶつが一面に現れます。これが全身に広がって、再度高熱を発することになります。この段階になると、なんと病変は体内の呼吸器や消化器などにも現れるそうで、肺にも病変が現れると呼吸困難に陥り、重症になります。

石部　怖い病気ですね。

椎名　死亡率は四〇％とも言われます。治癒しても、瘢痕《はんこん》つまり「あばた」が残ります。

石部　「あばたもえくぼ」という言葉は知っていても、実際に天然痘の痕跡としてのあばたを見たことのある人は少ないでしょうね。

夏目漱石のあばたも天然痘から

椎名　夏目漱石が顔にあばたが残っているのを気にしていた様子は、『吾輩は猫である』にも出てきます。全体が一一に区切られている中の九の最初の部分です。猫はこう言っています。「主人（苦沙弥先生即ち夏目漱石）は痘痕面《あばたづら》である。ご維新前はあばたも大分流行ったものだそうだが、日英同盟の今日から見ると、こんな顔はいささか時候遅れの感がある。あばたの衰退は人口の増殖と反比例して近き将来には全くその跡を絶つに至るであろうことは医学上の統計から精密に割り出された結論であって、我輩の如き猫といえども聊かも疑いをさしはさむ余地のない程の名論である。現在地球上にあばたっ面を有して生息している人間は何人位あるか知らんが、我輩が交際の区域内に於いて打算してみると、猫には一匹もいない。人間にはたった一人ある。しかして、その一人が即ち主人である。甚だ気の毒である」。

石部　猫は現代を予言していましたね。

椎名　そうなんです。漱石はそういう行く末を読んだということでしょうね。私が最近読んだ、鳥越碧の『漱石の妻』という小説にも、見合いの折に漱石のあばたが記憶に残ったように描かれていますから、『猫』に書かれているほど醜悪でなかったとしても、天然痘の痕跡が歴然としていたことは確かのようです。そして、これは天然痘の根絶とかかわるのですが、種痘という免疫療法が明治以後かなり普及して、明治末年頃にはあばた面が珍しいものになっていたことは本当のようです。

石部 漱石は天然痘に罹ったのですか。

椎名 そうではなくて、子ども時代に種痘を受けた際に、偶々それを引っ掻いてしまい、それが一部顔に痕跡を残したものだと伝えられています。

天然痘の渡来と流行

椎名 天然痘はかなり古くからの流行病です。紀元前十二世紀のエジプトのファラオであるラムセス五世のミイラにその痕跡があると言います。

石部 そんなに古くからあるのですか。日本にはいつから?

椎名 日本には、中国ないし朝鮮半島から、六世紀半ばから世紀末頃までの間に伝わったようです。その頃に最初の大流行が見られたと考えられています。ただし、呼び方としては、天然痘ではなく、古来使われてきた「疱瘡《ほうそう》」という呼び方でもなかったようです。続日本紀では、「豌豆瘡《わんずかさ》」あるいは「裳瘡《もがさ》」と記されています。

丁度その頃に日本に仏教が伝来しています。新羅から弥勒菩薩像が送られて来て敏達天皇が布教を認めた時期と、天然痘の初の流行が重なったために、「日本古来の神をないがしろにした神罰」という見方が広がりました。当時、渡来の文化を推進する蘇我氏のような勢力と、伝統を重視する勢力とが対立していたようで、流行病もそれに利用されたようです。

石部 それが現在確認されている天然痘であるというのは確かなのですか。

椎名 『日本書紀』には、「瘡発《かさい》でて死る者《みまか》——身焼かれ、打たれ、砕かるるが如し」とあります。これは、痘瘡《とうそう》を発し、激しい苦痛と高熱を伴うという意味で、日本における天然痘の初めての記録だとされるのですが、実はハシカのことを書いたという説もあるんです。当時のハシカは、現在よりも症状が重く、死亡率も高かったと考えられているからです。それに、ハシカは現在では子どもの感染症とされていますが、成人が初めてかかった場合には子どもよりも重篤になるといわれているからです。

石部　その他にも歴史に残る流行はありましたか。

椎名　七三五年から七三八年にかけて西日本から畿内にかけて大流行しました。これは最初に九州で流行し、やがて当時の政治の中心地でもある近畿地方に流行が及んできたようです。大陸から文物《ぶんぶつ》が入るのと同じコースです。当時の平城京では、藤原不比等の息子の四兄弟が政権を握っていたのですが、この四人が相次いで天然痘と推定される流行病で死にました。この流行では、他にも有力者が多く死んでいます。これを仏罰と考えた当時の聖武天皇は、再びこうした流行病が起こらないようにという願いもこめて、七四五年に東大寺の大仏（『奈良の大仏』）制作を命じたとされています。

石部　私が天然痘というと思い出すのは「独眼竜正宗」です。片目を失明してしまった原因は天然痘だったそうですね。

椎名　ウイルスが目に入ると失明するのが天然痘のひとつの病態です。

種痘による根絶へ

椎名　新大陸に渡ったヨーロッパ人から現地人に天然痘が伝染して、武力ではなく、一種のバイオテロのような形で現地人を苦しめ、ピサロが少人数でインカ帝国を征服する原因になったとも言われています。

石部 図らずしてバイオテロになったということですか。

椎名 やや利用した面もあるようなんです。白人の天然痘患者の寝ていた毛布を現地人にあげたんだそうです。

石部 それは、悪質ですね。

椎名 十八世紀末にジェンナーが、牛の天然痘から種痘法という免疫療法を確立するわけですが、その前から、人の天然痘のカサ、つまりブツブツが治った跡の皮膚片を子どもの鼻に吹き込んで人為的に軽い天然痘を起すという予防法があったんです。だから、白人にはある程度免疫があるけれど、現地人には免疫が全くない。この違いを利用して一種のバイオテロをやったようです。

石部 ジェンナーの発見は人類にとって大きな救いだったのでしょうね。

椎名 この種痘というのはかなり有効で、ジェンナーが十八世紀末に考案して、文明世界では十九世紀にかなり普及しました。ただし、鎖国中の日本に伝わったのはだいぶ遅れて、幕末頃でした。即位前の明治天皇は一八六〇年ごろに種痘を受けていましたが、西洋嫌いの孝明天皇はこれをしないで、一八六六年一二月に天然痘で崩御されました。日本人が積極的に種痘をするようになるのは、明治以後です。だから、「猫」が書かれた明治末年になると、かなり珍しい病気になっていたわけです。

天然痘の現在

椎名　いま、世界には天然痘患者は一人もいません。

石部　どのようにして根絶されたのですか。

椎名　一九五八年に世界保健機関（ＷＨＯ）総会で「世界天然痘根絶計画」が可決されて、根絶計画が始まります。中でも最も天然痘の害がひどかったインドでは、天然痘にかかった人々に幸福がもたらされるという宗教上の考え方が広まっていたために、根絶が非常に困難でした。

石部　流行病で亡くなった方々をそのように考えて弔ってあげるという考え方は分かりますけれどね。

椎名　ＷＨＯは天然痘患者が発生すると、その発病一ヶ月前にさかのぼって患者に接触した人々を確認して、この人々を対象に種痘を行い、ウイルスの伝播・拡散を防ぎ、孤立させる事で天然痘の感染拡大を防ぐ方法をとりました。これが功を奏して、根絶が困難と思われていたインドでも天然痘患者が激減していきました。この方法は他の地域でも用いられて、一九七〇年には西アフリカ全域で根絶され、翌一九七一年には、中央アフリカと南米で根絶されました。一九七五年、バングラデシュの三歳の女児の患者がアジアで最後の記録となり、アフリカのエチオピアとソマリアだけが流行地域として残りました。

石部　人類を苦しめた天然痘を追い詰めたわけですね。

椎名　そして、一九七七年のソマリア人青年が自然感染の最後の天然痘患者だったということで、その後は新たな患者が報告されませんでした。それから三年が経過した一九八〇年五月八日にＷＨＯは天然痘の根絶宣言を行いました。現在自然界においては天然痘ウイルス自体が存在しないとされています。

石部　その「自然界では」というところがキーワードですか。

椎名　そうですね。このように天然痘は、人間に感染する感染症として人類が根絶できた唯一の例ですが、世界のあちこちの医療機関に天然痘ウイルスが保存されています。

だから、悪意のある人によって意図的に持ち出されて、バイオテロに使われる心配は残っています。種痘を受けているわれわれの世代はいいのですが、このテロが行われたら種痘を受けていない若者たちに急速に伝染して、かなりひどいことになりそうです。そのあたりが心配です。

石部　そういうリスクに備えてウイルスを保存しておかなければならない、それがまたリスクになるという、どうどう巡りですね。

椎名　私の素人考えでは牛の天然痘のウイルスを残しておけばいいと思うのですがね。

石部　少し前に流行った新型インフルエンザのように、ウイルスは変異しますよね。

椎名　それはありますが、この天然痘ウイルスは、比較的種の間の変異が少ないし、感染しても軽く済む。そこにジェンナーは目を付けたようです。

石部　一つ制圧すれば、また新しいものが出て来るというのが歴史かもしれませんね。

椎名　これからも何が起こるかわかりませんがね。

火山と人類

（二〇一九年七月九日放送）

石部　富士山が山開きをして、いよいよ夏山のシーズンですね。
椎名　富士山は、火山ですよね。でも、富士山が噴火することを普段はあまり意識していません。でも、あり得るんです、これだけ地震が頻繁にありますから。

富士山の噴火

石部　富士山の噴火は、過去の記録に残っているそうですね。
椎名　先日、山梨学院生涯学習センターの連続講座で、富士河口湖町の杉本悠樹さんから、「遺跡にみる古代甲斐の災害痕跡」というテーマで、西暦八〇〇年から八〇二年にかけての「延暦の噴火」と、西暦八六四年から八六六年までの「貞観の噴火」の話をしていただきました。火山灰というのは、細かな灰からにぎりこぶし程度の火山弾までを含むのだそうですが、富士山では噴出する火山灰による災害と、流出する溶岩流による災害の両面が、人々を困らせました。

石部　にぎりこぶし程度の石も火山灰なんですね。

椎名　そう分類されているようです。

西暦八〇〇年（延暦）の噴火について、当時の駿河の国司が朝廷に上げた報告では次のように記されています。現代語にして引用してみます。「噴火は、延暦一九年三月一四日から四月一八日まで一ヶ月以上も続いた。昼は噴煙が空を覆って辺りを暗くし、夜は噴き上げる火が天を明るく照らす。噴火の音は雷のように大きく、灰は雨のように降り注ぐ。溶岩は山下の川に流れ込んで真っ赤に染める」。

石部　すさまじい光景ですね。

椎名　この噴火で、溶岩流が従来都との往復に使っていた道をふさいだため使えなくなり、かなり回り道を強いられたようです。貞観の噴火はさらに規模が大きく、現在の青木ヶ原樹海になっている部分は、この貞観噴火で流れ出して扇型に広がった溶岩とほぼ重なっています。

石部　いまは樹海の中を、西湖から精進湖、本栖湖につながる道が通っています。

椎名　この時の溶岩流で、現在の西湖と精進湖を含め、河口湖に近い広さを持っていた「せの海」がほぼ埋められて、西湖と精進湖の部分だけが湖として残ったのだそうです。溶岩流は一部本栖湖にまで流れ込みました。この溶岩流によって、このあたりを通過して富士宮方面に通じていた中道往還はしばらく塞がれることになりました。

タンボラ火山の大噴火

椎名　これまでにも何回か富士山噴火による災害のお話をしましたが、実は、世界に目を転じると、とてつもない規模の影響をもたらした噴火がありました。その一例が、一八一五年四月にインドネシア・スンバワ島のタンボラ火山で起きた有史以来の大噴火です。直接的影響は、火砕流がふもとを焼き尽くして、海に流れ込んで大津波を起こしたことです。これによって一〇万人以上が命を落としました。さらに、この影響は世界中へ及んだのです。この火山は四〇〇〇メートル以上の高さがありましたが、噴火で体積の三分の一が吹っ飛んで、現在は二八五〇メートルになっています。上空へ飛ばされた噴出物は琵琶湖の水二杯分に及ぶとされています。

石部　うわぁ、凄いですね。

椎名　物凄い量のものが飛ばされたんです。

石部　私の身近なところで、中部横断道建設の残土が盛られているのを見て、山の土って大変な量だと感じるのですが、四〇〇〇メートル級の山の三分の一が吹っ飛んだとすれば、周りにとんでもない影響が及んだのでしょうね。

椎名　タンボラ火山の噴煙は成層圏にまで昇り、これに含まれるガスや粉塵が太陽光を遮るエアロゾルになって世界の空に広がり、数年間漂い続けたのです。それにより地表に届く太陽光が弱くなったために世界の大気の大循環に異常が起こりました。全体としては寒くなったのです。ヨーロッパは、その夏から雨が続くなど異常気象が始まりました。翌年、北半球は近代史上最も寒い年になり、ニューヨークや首都ワシントンのあるアメリカ東海岸地域では七月に雪が降りました。

石部　それはまた、超のつく異常気象ですね。

タンボラ火山の噴火が歴史を変えた

椎名　この噴火による気候変動は歴史的事件にも影響を及ぼしています。当時ナポレオン一世が、幽閉されていたエルバ島から脱出して、イギリス、オランダ、プロイセン連合軍との戦い、いわゆるワーテルローの戦を開始していました。この戦闘は、タンボラ火山からの噴出物の影響により二カ月も続いた雨で動きがとれなくなり、敗戦という結果に終わりました。

石部　ナポレオンは噴火に負けたんですね。

椎名　そういうことです。この戦争後のヨーロッパ大陸では冷害で食糧がとれず、餓死者があふれました。アイルランドなど、とくに冷害が深刻だった国からは、新天地を目指してアメリカ大陸へと移民が押し寄せました。アメリカへの移民は、先ず、イギリスから渡って、次にドイツ系が行って、そしてアイルランド系です。アイルランド系というのは、アメリカに結構多いのです。ジョン・F・ケネディーも、ロナルド・レーガンもアイルランド系です。

石部　タンボラ火山の噴火がなければ、誕生しなかったかもしれない大統領ですね。

椎名　アメリカでもタンボラ火山の噴火の影響は深刻でした。少しでも暖かい土地を求めて、東海岸から中西部へ、そして西海岸へと幌馬車に荷物を積み込んで移住する人の波が続きました。行く先々で先住民との争いが繰り返され、また、新天地での開発路線の違いから、農耕を生産手段にしようとする者と、牧畜業で生きようとする人々との間での紛争も続きました。この新天地での争いが背景というか舞台になって、アメリカでは一九四〇年代からしばらくの間「西部劇」映画が流行りました。

石部　私たちは、日本列島を中心にした世界地図をいつも見ているのですが、その裏側にアイルランドもアメリカ大陸もあるのですね。

椎名　そういうことです。この時の寒冷化は、コレラの流行にも関係しているようです。それまで小規模の流行はあったのですが、この噴火のあとに世界的な大流行が起きました。日本の歴史書にはこの噴火の直接の影響は書かれていないのですが、一八一六年四月から江戸で疫病が流行り、死者が多く出て、その流行が八月末まで続いたという記事が存在します。この疫病がコレラであったかどうかは、わかりません。はっきりコレラの流行とされるのは一八二二年で、朝鮮半島からもたらされたようです。この流行とタンボラ火山の噴火との関連ははっきりしていません。

イエローストーン国立公園の火山活動

椎名　タンボラ火山の噴火は文明が開始してからのことですから書かれた記録があるのですが、それ以前をたどると、もっと大規模な噴火も存在します。アメリカのワイオミング州北西部を中心にモンタナ州、アイダホ州にまたがるイエローストーン国立公園、これは巨大火山活動の跡なんです。六四万年前に活動した巨大なカルデラです。その広さは鹿児島県をすっぽり飲み込むほどで、いまでもその地下には琵琶湖の水三八〇杯分のマグマだまりがあるとされます。だから、噴火の規模でいうと、タンボラ火山の五倍から二〇倍だとされます。

石部　まさに巨大火山ですね。

椎名　実は、このイエローストーン国立公園の一角で、一九八八年夏から秋にかけて、通常規模の火山活動が起きたことがあります。私はその年に、フルブライトの資金による日米学術交流事業の一環で、アメリカに三ケ月ほど滞在していたのですが、噴火が開始すると、テレビは連日この活動のことを伝えていました。そして、イエローストーン国立公園から一六〇〇キロ近くも離れた、私が滞在していたアイオワ州中部まで火山の噴煙が流れてきて空を暗くした日が、実は数日間続きました。

石部　へ～え、噴煙はそんなに遠くまで行くんですか。

椎名　実際に来たんです。一六〇〇キロというと、直線で東京から鹿児島ほどの距離に当 たります。これがイエローストーンとしては「小規模な通常の活動」なのだから、大爆発したらどれほどの影響が起きるのか恐ろしいですよね。ネットでは、「アメリカ滅亡」とか、「人類滅亡」などと書かれています。

石部　本当におそろしいですね。

火山活動には恩恵もある

椎名　これまで火山活動による被害の面に注目して来ましたが、実は火山活動には人間にとって利益もある、むしろ総体としてはプラスの方が多いという見解があります。

石部　温泉などですか？

椎名　それもあるんですが、それだけではありません。ジャレド・ダイアモンドという生物地理学を専門にしている方がいます。『銃・病原菌・鉄』（草思社・二〇〇〇年）という、世界の文明史に関する興味深い比較研究をまとめた方です。アメリカ生まれの方ですが、彼は、火山噴火が土壌内部にあるリン酸塩、カリウム、ナトリウム、カルシウムを地表に運び出してくれたおかげで、日本、インドネシア、イタリアなどの火山国は、世界の他の地域より土壌が豊かで、植物を生育させ、それを食べる動物種も豊かであると言っています。こういう恩恵もあるようです。

石部　なるほどね。

椎名　ジャレド・ダイアモンドは日本の縄文時代を一例として、このように言っています。「たいていの狩猟採集民は持ち運びに重いので土器を作らないが、縄文文明は、人類で最も早期に土器を発達させた文明の一つである。狩猟採集民は、獲物を追いかけて移動して回るのが普通なのに、彼らは村々に定住し、異例の人口密度を維持していた。それは、火山の運び出す物質のおかげで地味が豊かで、一定の場所に止まっていても、野山や海で食料が沢山とれたからだ」。

石部　その見方は面白いですね。縄文人の豊かな食生活は火山がもたらしたものだ、と。

椎名　日本の縄文時代で定住生活が始まるのは、早くて八〇〇〇年前あたりですが。

石部　米は作らないけれど、栗とか大豆、イモなどを栽培して食べていたということですか?

椎名　それも部分的にはありますが、採集活動でかなりの食料を賄っていたようです。ジャレド・ダイアモンドは、日本の江戸時代の二〇〇〇年余りの期間にわたる鎖国時代において、ほとんど資源を輸入せず、自給自足経済を実現できたといいます。これも、火山島だからだというのです。日本は資源小国だとよく言われますが、狭い国土で、しかも山が多いなかでかなり多くの人口を養っています。これが出来たのも、火山が多くあったおかげだというのです。彼が日本にとくに興味を持って研究しているのは、彼の奥さんが日本人とつながりが深いからでもあります。

石部　そういう事情があったんですね。

椎名　世界に地下資源をもたらすものとして、彼は火山のほかに、氷河と、地下のプレート同士のぶつかり合いを挙げています。氷河は、地表を大規模に削ることで内部の資源が表面に出る効果を持ちます。地下のプレート同士のぶつかり合いも、ある種の豊かさをもたらすようです。このように、自然条件・環境の側から人類史を眺めるジャレド・ダイアモンドの観点は、自然を人類の活動の単なる背景ないし環境と見がちな西欧文明に新たな刺激をもたらすものだと、私は注目しています。

石部 なるほど。「人間が主役で自然は背景」ではないということですか。

椎名 「環境があって人間の活動がある」という見方です。

石部 面白いですね。まさに見方を変える、視点を変えるということですね。ありがとうございました。

雪の日の事件簿

（二〇一四年二月二五日放送）

甲府盆地に未曽有の大雪

石部　甲府に観測史上最高の一メートル一四センチという積雪がありました。本当に大変でしたね。

椎名　いま、こうして十日後のキャンパスを見ても、まだ雪が残っていますね。

石部　そうですね。椎名先生のお宅はいかがでしたか。

椎名　カーポートを守るために奮闘しました。私の家では雪を降ろす余地が周囲にあったのでどうやら助かりましたが、降ろせないお宅ではカーポートが破損したり倒壊したりしたケースが少なくなかったようです。車まで損害を受けた方も多かったとか。

石部　本当に未曽有の大雪でしたね。
椎名　東京が雪に弱いことは、ほんの少しの雪でも車が滑って事故になったり、動けなくなったりというニュースを見ていましたが、これだけ降ると山梨でもお手上げですね。

討ち入りの夜に雪は降ったか

椎名　さて、雪の日に起きた事件を思い出してみましょう。石部さんは、雪の日の事件というと何を思い出しますか。
石部　「八甲田山死の彷徨」を思い出しました。先生は何を思い出されますか。
椎名　先ず、思い浮かんだのが赤穂浪士の討ち入りのことです。
石部　ああ、雪の夜のことでしたね。
椎名　元禄一五年（一七〇二年）一二月一五日未明というと、現在の太陽暦だと一月末にあたりますから、江戸で雪が降ってもあたりまえの時期なんです。でも、この夜雪が降っていたというはっきりした記録はないようなんです。

石部　えっ、本当ですか。

椎名　私の手元に、徳富蘇峰が書いた『近世日本国民史—赤穂義士』という本がありますが、当時の原資料を沢山参照して書かれたこの本の討ち入りの記述には、雪のことが一切書かれていません。原資料にかなり近いと思われる記録が、討ち入り後に細川邸にお預けとなった時に原惣右衛門が書いて赤穂藩の元藩医寺井玄渓に残した覚書ですが、そこにも雪のことが全く出てきていません。吉良邸に隣接する旗本土屋主税から新井白石が事件の翌日に様子を聞き取った話を室鳩巣が「鳩巣小説」に書き記していますが、そこにも雪のことは全くありません。

石部　話が伝わっていくなかで、途中から雪が降ってきたということですか（笑）。

椎名　どうも、四十七士が降りしきる雪を踏んで吉良邸に向かうという話は、その後の歌舞伎作家の脚色が事実に置き換わったものではないかと私は今回推測しました。

石部　そういうことだったんですね。

椎名　たしかに、雪の中での斬り合いや、雪のやんだ江戸の町を赤穂浪士一行が泉岳寺に向かうというのは、いかにも絵になりますからね。

石部　あの映像というのは、私たちが刷り込まれているということですね。

椎名　そうでしょうね。雪が降っていたというのはウソのようです。この事件は、日本人の感覚によく合うせいか、歌舞伎ではお馴染みの演目であるし、何回も映画になり、NHKの大河ドラマにも数回取り上げられています。でも、この事件で日本の歴史が変わったかというと、どうも大勢に影響はなかったことのようです。

石部　考えて見るとそうですね。他には？

桜田門外の雪

椎名　次に思い浮かんだのが、桜田門外の変です。安政七年（一八六〇年）三月三日というと、太陽暦でいえば三月末です。この日は確かに季節外れの大雪でした。この事件の背景については、二〇一〇年に幕末の一五年間の歴史を四つの時期に分けてお話したことがありましたが、その第一期の終末にあたる、歴史の転換点でした。第一期というのは一八五三年にペリーの艦隊が江戸湾に現れてから、まさに雪の日に桜田門外の変で井伊大老が暗殺された一八六〇年までを指しています。

石部　幕末の第一期というと、どんな時期であったかもう一度説明していただけますか。

椎名　この時期は、幕府内で伝統を守る守旧派と幕政改革を唱える開明派が対立していたのです。両派の対立は、薩摩から篤姫が嫁いだ、病弱な十三代将軍家定の後継をどうするかの対立でもありました。守旧派は紀伊徳川の慶福《よしとみ》（後の家茂）をかつぎ、開明派は水戸から出て一橋家に入った慶喜をおしたてて争っていたのです。最終的には家茂が十四代将軍になることに決まって、守旧派が開明派を抑える形で、ずるずると外交交渉を進めることになります。

石部　外国からは、あれこれと外圧がかかっていましたね。

椎名　幕府は諸外国のそうした圧力に屈して、不本意ながら一八五四年に開国、一八五八年にはアメリカ等と通商条約を結んで、外国との貿易を受け入れました。この動きを最終的に主導したのが一八五八年に大老になった井伊直弼でした。彼は朝廷その他の反発を力で押さえ込む政策をとりました。

石部　反発は相当強かったわけですよね。

椎名　当時の孝明天皇がひどく外国人嫌いであったらしいのです。その天皇のご意向をタテマエにする攘夷派が猛烈に反発、とくに攘夷原理主義である水戸の徳川斉昭らは井伊大老を詰問します。ところが、大老は、逆に反発したメンバーを謹慎させ、攘夷を主張した各地のリーダーを逮捕してかなりの人数を処刑しました。これが「安政の大獄」です。そして、これに反発した水戸浪士が大老を襲ったのが桜田門外の変ということです。現代の用語で言えば「政治的テロ」に相当するこの暗殺劇から歴史は急展開を始めるわけで、やがて明治維新を迎えることになります。

石部　そういう意味で歴史の転換点の事件だったのですね。明治以降だといかがですか。

西南戦争も雪だった

椎名　一八七七年（明治一〇年）の西南戦争で薩摩軍が熊本へ向けて進軍を始めたのが二月一五日。この日が六〇年ぶりと言われる大雪でした。

石部　そうでしたか。この戦争はどんな対立から起きたのですか。

椎名　この西南戦争は幕末の内戦を除いては、一番大規模な内戦であったと思います。歴史的にどう解釈するかは私もあまり考えたことがありませんでした。新政府と旧体制にこだわる士族の対立という図式ですが、新政府の実態は、有司専制つまり三条実美、岩倉具視、大久保利通ら少数の高級官僚による政治運営でした。その新政府が旧体制改革を急ぐのに対して、士族層の反発があり、佐賀の乱、神風連の乱などがこの内戦の直前に起きています。これらと同じく、西南戦争も旧士族層の新政府による改革への不満が原因とされています。それと同時に、幕藩体制下で軍事力や兵器生産力を養っていた薩摩（鹿児島）が半独立的であったのを、新政府側がつぶすという意味もあったようです。

石部　西郷隆盛って、日本人が皆好きな人物ですよね。

椎名　西郷隆盛については、上野公園入口に銅像があるように、大人物として伝説化されています。でも、西郷という人は、幕末の内戦では司令官として大きな役割をはたしましたが、結局のところ新しい時代についての大局観というのは持っていなかったようです。征韓論争、つまり、韓国を属国にするかどうかという論争に敗れて一八七三年に下野したあと、薩摩に帰って旧士族の若者を教育していました。ところが、薩摩が兵器を沢山持っているということで、中央政府が兵器を奪いに来るという事件が起きます。これをきっかけとして、鹿児島の私学校党、これは西郷が育てた若者たちです、これが決起して、西郷は気の進まぬまま反乱の指導者にかつがれることになりました。

石部　西南戦争は実質どのくらいの期間戦っていたのですか。

椎名　この戦争は、一八七七年の九月下旬に西郷が自刃して終わるまで半年を要しました。維新後では最大の士族の反乱でした。ただ、大きな変わり目だと思うのは、薩摩軍の士族たちが「土百姓の軍」とさげすんでいた政府軍に敗れたということです。そして、その後の新政府批判は、自由民権運動のように、西欧から学んだ新しい権利を獲得する闘いに変わったことなど、いろいろな意味で、旧時代の終わりを告げる事件であったと言えます。

石部　反政府の闘いで獲得しようとするものの「質」が、これを機に変わったということですね。他にもまだ雪の日の事件はありますか。

二・二六事件の雪

椎名　忘れることが出来ないのが、一九三六年の二・二六事件です。この事件は、北一輝、西田税《みつぎ》ら民間右翼思想家の影響を受けた「皇道派」と呼ばれる陸軍軍人が、雪の朝一四七三名の大部隊を率いて政府要人宅を襲い、高橋是清蔵相らを暗殺した事件です。

同時にこれは警視庁や国会周辺を占拠した一種のクーデターでした。

石部　この事件にはどのような意味があったのですか。

椎名　この事件の背景には、当時国内にあった対英米協調派とワシントン体制打破を目指す勢力との対立がありました。

石部　ワシントン体制というのは？

椎名　ワシントン体制というのは、一九二二年二月に英・米・日・仏・伊の五カ国が開いた海軍軍縮会議の結果として、海軍の勢力を英・米・日で5・5・3とされた合意を指します。これは不平等のように見えますが、太平洋地域だけとれば、日本の海軍力が英米と拮抗するものでした。また、この会議で、日本が当時中国大陸に進出している状態を英米が目をつぶったということもあって、後に軍部が反発するほどの厳しい内容ではなかったようなんです。

石部　それでもクーデターになったのですね。

椎名　その理由は、これを不満とする陸軍の内部で、決起した皇道派と、もう少し他の要素も考える統制派の厳しい路線対立があって、主導権争いから皇道派が暴発してしまったようです。これを統制派が天皇の命令をかかげて制圧します。それと同時に、対英米協調派をも屈服させます。こういう形で、その後の盧溝橋事件、これは日中戦争を本格化させることになりますが、そして太平洋戦争へと向かう流れを作ったということです。

石部　実はアナウンサーの一人として、私にとってこれはとても印象的な事件なんです。何も知らずに上官の命令に従った一兵卒という方たち、つまり一般兵士に投降を呼びかけるラジオの放送はアナウンサーが原稿を読んだのです。でも、雪の日だったとは知りませんでした。雪の日にはいろんな事件があったんですね。

椎名　時代を変えるような事件が多いようです。

石部　ありがとうございました。

二　現代社会へのメッセージとして

～「歴史はそれぞれが各自の立場で刻んでいるものですものね」

日本も核兵器開発を目指していた

（二〇一七年一〇月二四日放送）

広島の原発ではアメリカ兵も死んだ

石部　八月六日の広島、八月九日の長崎の平和の記念日の報道を、先生はどのようにご覧になりましたか。

椎名　いつも感じていることですが、大きな犠牲があったということを思い出しながらテレビを見ておりました。今年は七二年の「時」の経過で、直接の被爆体験を持つ方が減っていること、そして、核兵器禁止条約が国連で採択されて初めての記念日だったこともあって、テレビ番組や新聞の特集で被爆のことが少なからず取り上げられていました。

石部　とくに印象的だった番組がありますか。

椎名　広島の憲兵隊司令部に抑留されていた六名のアメリカ兵が被爆死したことを追ったNHKの特集です。彼らはB24爆撃機の編隊で呉の軍港に停泊していた日本の戦艦を爆撃しに来て、日本軍の対空砲火で撃ち落とされ、広島の憲兵隊司令部で捕虜になっていました。そこに原爆が落ちて死んだのです。このことをアメリカ政府と米軍は徹底的に隠していました。そうしないと、敵を殲滅《せんめつ》するための正義の核兵器使用であったという主張が崩れ去るからなんです。アメリカ兵も一緒に殺してしまったということになると、国民から反発が出てきますからね。

仁科芳雄の提案から研究開始へ

椎名　私たち日本人は、広島・長崎に加えてビキニ環礁での核実験による死の灰を浴びて第五福竜丸の乗組員がかなりの被害を受けたという経験もあります。この事件では、半年後に乗組員一人が亡くなり、多くの乗組員も被災しました。そのために被害者の立場からだけ核兵器を見ていますが、実は、第二次大戦中に日本も核爆弾を製造しようとしていたことが分かっています。ただし、実用にはまだまだ遠い段階でアメリカに二発の核爆弾を使われて、敗戦を受け入れることになったのですが。

石部　日本で核兵器開発を始めようと最初に言い出したのは誰ですか。

椎名　核物質を使った兵器生産を言い出したのは、基礎科学を専門にしていた仁科芳雄でした。仁科は東京帝国大学工科大学の電気工学科を首席で卒業したあと理化学研究所に入って、一九二一年から七年間にわたってヨーロッパに留学します。イギリスで原子核物理学者のラザフォードに教えを受け、その後、デンマークでは量子力学の確立を進めていたニールス・ボーア研究所で学びました。まあ、日本の期待の星のような学者でした。帰国後は、中間子論でノーベル賞を受けた湯川秀樹らに助言するなど、専門領域としては原爆の製造といった応用分野とは遠い人物です。

石部　そんな仁科さんが核兵器開発を目指したのはなぜですか。

椎名　それは、日本の置かれた軍事的立場を憂慮したからです。このままでは米英を含む連合軍との本格的な戦争が避けられないと判断した仁科は、一九四〇年夏の段階で、資源面では及ばない日本が、基礎研究を強くして、高性能の兵器生産を急がなければならないと陸軍航空技術研究所長の安田武雄に伝えます。ここから日本における核兵器研究がスタートします。

海軍での挫折とその後

椎名 先に研究に乗り出したのは海軍でした。海軍技術研究所に属していた伊藤庸二技術大佐は、一九四二年初夏に仁科を委員長とする「核物理の海軍技術に応用の可能性ありや否や」を研究するための会議の設置を構想しました。ただし、核兵器製造にはなお躊躇している仁科芳雄の意向を受け入れて、「物理懇談会」という曖昧な名称に決めて、海軍内の技術者のほか、外部委員として、東京帝大の嵯峨根遼吉、大阪帝大の菊池正士などが加わりました。しかし、この研究会は具体的研究に進む前に解散となってしまいました。当時理論物理学の第一人者であった長岡半太郎の反対があったからだと伝えられています。

石部 「懇談会」とは、本質をぼかした曖昧な会議の典型のような名前ですね。世界の流れとしては、当時、かなり実用に近づいていたのですか。

椎名 先進国ではどこでも研究を始めていて、かなり実用に近かった国もありました。具体的に言えば、アメリカとドイツが先頭を走っていました。

石部　日本はその後どうしたのでしょうか。

椎名　仁科はその後も連合国側（アメリカないしイギリス）が先に核兵器を作る可能性を心配して、一九四二年暮れに科学装置の製造に優れた実績をもつ研究室の一員竹内柾《まさき》にウラン同位体濃縮の研究を命じました。

石部　その「濃縮」ということを説明していただけますか。

椎名　ウラン235は、自然界に存在するウラン鉱石では〇・七％ほどしか存在しません。ウラン235に中性子を当てて核分裂の連鎖反応を起こさせるのが原爆の原理で、この反応を管理してゆっくりエネルギーを引き出すのが原子力発電です。どちらもウランを濃縮する必要があるからです。その濃縮の割合と必要なウランの量についても仁科は研究室の玉木英彦に計算させてデータを得ていました。

陸軍での実用化を目指す

椎名　こうした研究を綜合して、仁科は一九四三年六月に次のような報告を陸軍の安田武雄研究所長に提出しています。①ウラニウム原子核分裂によるエネルギー利用の可能性はかなり有力であること、②原子核分裂によるエネルギーを利用するためには、一回分として、最小限ウラン235を一〇%に濃縮したもの約一〇キログラムを必要とする。これにより得られるエネルギーは通常火薬一万八〇〇〇トン（TNT爆薬に換算すると二〇キロトン）の爆発に相当すること。

石部　この報告内容は正しいものだったのですか。

椎名　実際の核兵器では九〇%程度までウラン235の濃縮をする必要があります。そして、臨界、つまり核分裂を急速かつ連続的に起こすための最低必要量は五〇キログラムだとされるので、この段階の仁科の報告内容では実用にならなかったはずでした。

石部　う〜ん。この報告は、その後どうなりましたか。

椎名　認識としては誤っていましたが、報告された巨大爆発に陸軍は興味を示して、安田はこれを東条英機首相兼陸相に報告します。東条首相は、陸軍航空本部が中心になって核兵器開発を続けるよう指示を出しました。開発は仁科研究室を航空本部の直轄として、理化学研究所が全面支援に回るという体制で進めようとしました。

石部　先ず海軍で没になって、今度は陸軍の方でゴーサインが出たということですね。

椎名　その通りです。実用化への課題としては、①核爆弾を相当数作るだけのウラン鉱石の確保、②原材料を濃縮するための技術の開発、これが前提となります。濃縮をするためには金属ウランをフッ素と化合させて気化する必要がありました。それと、実用的な濃縮法をどうするかもよく分からなかったのです。気化させたフッ化ウランを分離塔と呼ばれる装置に注入しても、うまく分離ができなかったというのです。

石部　実際に使える技術にはほど遠かったのですね。

椎名　この頃海軍は、陸軍とは別に、京都大学の荒勝文策教授に核兵器の開発に関する研究を依頼しています。

石部　また、海軍が研究を始めたのですね。

椎名　そうです。このグループには、理論物理学者の湯川秀樹や、戦後に原子力の平和利用について、「自主、民主、公開」という三原則を唱えた坂田昌一らも含まれていました。このグループの研究は、全般的には仁科グループより遅れていましたが、「高純度のウラン235が八〇キロあれば爆弾になる」という、やや実際に近い予測をしています。

広島・長崎の被爆とその後の原子力開発

椎名　こうして日本でも核兵器の開発計画が進んでいたのですが、結論からいえば、実現する前に広島・長崎の被爆があり、仁科は八月一〇日に早速広島に入って、放射能があることを確認します。そして、原子爆弾をアメリカが実用化したことを軍に報告しました。

占領後、マッカーサーの要請で何人かの科学者が来日して、仁科芳雄、荒勝文策ら核兵器研究に関与した学者たちから聞き取りをしています。日本での実用化がどこまで進んでいたか確認したかったのです。その時に、仁科研究室で使っていたサイクロトロンという装置を、米軍関係者はウラン濃縮に使うためのものだと誤解して破壊してしまいました。このサイクロトロンは、生物や医学研究など広い用途に使用出来るものであり、この段階でのサイクロトロンの規模では、実用的ウラニウム爆弾の材料を濃縮する能力はなかったのですが、日本が核兵器や原子力利用の研究をできないようにすることを優先したようです。

石部　「原子力発電が核の保有である」と言われることのルーツはこのあたりにあるわけですね。

椎名　結局のところ、同じ原理ですからね。ゆっくり制御しながらやれば原子力発電、急激に核反応させれば原爆ですから。日本の核兵器研究はここでいったん終わりました。でも、政府が福島事故後も稼働を進めている原子力発電は、いまお話しした通り、核分裂反応を制御しながらゆっくりと行うもので、ここで使用済みの核燃料から出る高レベル廃棄物からつくっているプルトニウムは、すぐに核兵器に転用できるものです。このプルトニウムを日本は既に四八トンも保有しているのです。これは核爆弾六〇〇〇発分に相当する量なのです*。

石部　このことは、よく知っておく必要がありますね。

椎名　そしてさらに重要なことは、安倍政権が昨年（二〇一六年）四月に「核兵器でも、必要最小限にとどまるものであれば、保有することは必ずしも憲法の禁止するものではない」という新たな政府解釈を閣議決定していることです。

石部　確かにそうでした。

椎名　これについて、あまり国民は大騒ぎしていませんが、憲法学者の多くが反対しています。今日お話ししたように、日本が核兵器を作って使おうとした過去があること、そして今後も核兵器による加害者側になる可能性があることもよく知って、国民として安倍政権の政府解釈をどうしたら変えさせることが出来るか、考える必要があると思います。

＊　この時点では四八トンだったが、プルサーマル発電で使用しているので、現在（二〇二〇年）は四六トンとされる。

放送後記

この回でお話ししたように、核兵器と原子力発電は、同じ原理を利用している。兵器の時には「核」と言い、発電の時には「原子力」と使い分けているが、中身は変わらない。「平和利用」と「軍事利用」の間の壁は極めて薄いのだ。核兵器禁止条約を実効性のあるものにするためにも、原子力発電を全廃すること、そして、日本が保有しているプルトニウムを放棄することは、世界平和のために重要な課題ではないだろうか。

何も終わっていない福島第一原発大事故

（二〇一九年四月二一日放送）

あれから八年が経過したが

石部　最近の新聞記事で何か気になったことがありますでしょうか。

椎名　少し前の新聞記事ですが、原発で発電した電力をより高く消費者に買わせるという、一種の「補助制度」を経産省で検討していると報じていました。

石部　最近の新聞では、核廃棄物の再処理の費用を、未計画の分を含めて既に料金に転嫁しているとも報じていました。

椎名　どちらの記事でも、「原発の電力は安い」という、これまでの説明がウソだったことが明らかになったわけです。それまでして政府関係者が原発維持に執着するのは、この事故でどれだけ原発が日本国民の信頼を失ったかを、全く理解していないというほかありません。

石部　その通りですね。

原発事故被災地はそのまま

椎名　二〇一一年三月一一日から八年が経過しましたが、東日本大震災と福島第一原子力発電所の大事故で発令された非常事態宣言は今もそのままです。多くの国民は、あの日とそれからしばらくの間、危機感にドキドキした経験を、今は日々風化させつつあります。もう忘れてしまったという人も少なくないかも知れません。

石部　残念なことですが、おっしゃる通りでしょうね。

椎名　その一方で、一二の市町村に出された避難指示は、現在、大熊町と双葉町の全域、そして帰還困難区域とされているその他の場所を除いて、解除されました。でも、そこに戻って生活するという住民は一割にも満たないのです。公式に確認されている数字によると、福島では三万二六〇〇人が避難生活を強いられていることになっています。

石部　これは、どういう数字なんでしょうか？

椎名　この数字については、また後で改めて考えてみたいと思います。汚染を除去した比較的低レベル汚染の土が、小学校の平均的な二五メートルプール八〇〇杯分、行き場がないままに各地の仮置き場に袋詰めで置いてあります。福島第一原発の敷地にタンクを並べて保管されている、爆発した原子炉を冷却したあとの汚染水は、あと二年で、新たにタンクを建設する余地がなくなるとされています。

石部　最近それについてはあまり報道されませんが、汚染された水と土は増え続けているわけですね。

椎名　その通りです。

最大の困難は核燃料デブリの始末

椎名　何よりも強調しなければならないのは、福島第一原発で爆発した三基の原子炉で溶け落ちた核燃料（デブリ）が、どうしようもないまま、水で冷却を続けているだけという事実です。東電と国が事故直後に公表した「廃炉完了まで三〇年〜四〇年」という工程表は、実は、当面何も出来ることがなくて、手が付けられないという現実を言い換えているだけなんです。しかも、処理すべき汚染水は増え続けています。完了まで四〇年としても、八年経ったということは、その五分の一が経過したことになるわけです。

石部　当初の予定の五分の一が過ぎてしまったんですね。

椎名　報道では、完了までもっと時間がかかるという見方も出ています。最近になって、ようやく二号機のデブリに初めて接触調査の手が届きました。今年二月一三日、遠隔操作の特殊な装置を差し込んで、小石状の物質をつまみ上げることが出来ました。ですが、底に固まったデブリは、原子炉内で溶けた制御棒あるいは金属容器の溶けた金属が主で、それに核燃料やコンクリートなどが混ざり合ったものらしくて、動かせたのは金属片だけだったようです。

石部　難しいものなのですね。

デブリの状態はどうなっているのか

椎名　当然ながら、デブリの放射能は極めて強く、人がそばに行くことは不可能です。ここで先ず、デブリの状態を見ておきましょう。遠隔カメラを使用することで、一号機から三号機までのデブリの状態がひとまず確認されています。

石部　どんな状態になっているのですか。

椎名　原子炉は、内側に圧力容器があり、外側の格納容器がこれをカバーしています。一号機では炉心部の核燃料はかなり溶け落ちて、圧力容器の底だけでなく、格納容器の底にまで溶け落ちているようです。二号機では、溶けだした核燃料の相当部分は圧力容器の底の部分にたまっていて、格納容器の底には、あまり溶け落ちていません。三号機では、半分ほどが圧力容器の底にあって、残りが格納容器の底に溶け落ちています。

石部　原子炉それぞれにデブリの状態は違っているのですね。

椎名　そうです。そして、二号機と三号機ではデブリの存在を確認できていますが、一号機では底一面を砂のような堆積物が覆ってしまっているために、まだ確認さえできていないのが実情です。ほぼ全部が溶け落ちて格納容器の底にあるだろうと推定しているだけです。しかも、デブリの一部は色々な状態で原子炉内に散らばっていて、周辺機器にからみついたものもある。これをなんとかしてはぎ取って、全部を回収するには、そのための機器の開発から始めなければなりません。

かなり困難なデブリの調査

石部　要するに、肝心な部分については、まだ遠くからの調査という段階を出ていないということですね。

椎名　その調査も全く十分ではない状況です。デブリの調査では、これまでにも何度かの試みと失敗が繰り返されています。二〇一七年には、サソリ型自走式ロボットを開発しましたが、格納容器内で自力走行が出来なくなって調査をあきらめました。一号機から三号機までに残されている使用済み核燃料の運び出しでも、遠隔操作で燃料を取り出す燃料取扱機と輸送容器をつるすクレーンで、トラブルが何回も起こっています。今回なんとかデブリに接触できたのも、アナログではあるけれども実績があるパイプ型の機器を使うことでようやく出来ただけで、これでこの先も処理が可能かどうか全く分かりません。

石部　前途多難というしかありませんね。

燃料プールからの使用済み核燃料取り出しも難問

椎名　この他に、一号機から三号機の燃料プールに残されている使用済み核燃料をどう取り出すかも難事業です。これを成功させなければ、先には進めません。奇跡的に水が入っていて関係者をほっとさせた四号機のプールから一五一四体の取り出しが終わったのは二〇一四年でした。この四号機は、炉心溶融は免れましたが、燃料プールの水は大地震で一旦失われました。でも、その上部の施設にたまたま残っていた水、この水は本来なら三月一一日にはないはずでしたが、それが奇跡的に残っていて、上からこぼれてこのプールに流れ込んでくれたことで、使用済み核燃料の温度上昇を防ぐことができたのです。

石部　だから、人も近づくことができたということですね。

椎名　ラッキーだったと思います。四号機は人が近づけたので作業がそれでも早く済んだのですが、一号機から三号機では事情が違います。残された使用済み核燃料は、一号機で三九二体、二号機で六一五体、三号機で五六六体あります。廃炉作業を進めるためには、溶け落ちた核燃料より前に、これらの使用済み核燃料を運び出して、別の場所に保管する必要があります。使用済みとはいっても、冷却されていないので、極めて強い放射能を出しています。それでも、先ずはこれらを取り出さなければなりません。

石部　一号機から三号機は、建物に近づくだけでも放射能が強いはずですね。

椎名　はい、除染で放射能レベルが下がったとはいっても、二号機と三号機の間で人が立ち止まっていられるのは最長で五分ほどです。

石部　そんなに強いのですね。

椎名　そして、非常に難しい機器の操作をする技術者たちにとっても、生涯に浴びて良い放射能量の限界はあります。そうすると、ベテラン技術者をいつまでも使い続けられないという悩みもあるのです。

石部　廃炉まで三〇年から四〇年というお話が先ほどあったのですが、廃炉が終わった後はどうなるのですか。

椎名　核燃料を取り出したからと言って、それで問題解決ではありません。取り出したデブリは高いレベルの放射能を出し続けていますから、これをどこにどのように保管するのかが大きな問題です。破壊された三つの原子炉を合わせると、デブリの総量は八八〇トンあると推定されています。間違ってはいけないのが、放射能は人間の力では絶対に消すことができないということです。取り出したデブリの保管は、場合によっては数千年から数万年単位の課題になるということです。

被災者の暮らしが元に戻る見通しもたっていない

椎名　このように、事故の核心ともいうべき、爆発した原子炉の処理の見通しが全くたたないのと同じように、この事故で避難させられた人々が元の暮らしに戻る見通しも全くたっていません。

石部　最初にお話のあった避難者の数のことですね。

椎名　先ほど、公式に確認されている数字で、福島では三万二六〇〇人が避難していると言いましたが、この「公式の確認」というところがカラクリなんです。原発事故前の家に戻れないのに避難者の数から外されている人が多いのです。

石部　具体的にはどういうカラクリですか。

椎名　例えば、避難して最初に入居した「仮設住宅」ないし「みなし仮設住宅」から、生活の不便や壁の薄い暮らしに耐えられずに引っ越すと、補助が打ち切られて、避難者の数から外されるのです。また、仮設住宅から県や市町村が運営する公営の「復興住宅」に移ると、補助が打ち切られ、避難者の数から外れることになります。二〇二〇年三月には仮設住宅をすべて廃止することになっています。居場所がなくなることで、避難者を統計上はいないことにしてしまうのです。政府は、事態はまったく変わっていないのにもかかわらずこうした統計上のインチキな操作で避難者をできるだけ少なくみせようとしています。

石部　それは、本当にひどい話ですね。

椎名　最近気になっているのが、西日本を中心に震度四程度の地震が増えていることです。

石部　そういえば、多いですね。

椎名　すでに熊本では最大震度七が二回という大地震がありました。南海トラフを震源とする大震災は三〇年以内にかなりの確率で来ると予測されています。その中で、政府は原発の再稼働政策を進めているのです。そこで第二の福島第一原発クラスの大事故が起きることは十分考えられると思います。

石部　はい、よく分かります。

椎名　一つだけでも収拾不可能になっているのに、二つ抱えることになったら、この国はおしまいですよね。それでも無理やり再稼働路線を進める安倍政権の気が知れません。

石部　『もっと教えて椎名先生』（二〇一三年）には、東日本大震災の数年前、二〇〇七年段階に収録した、地震の多い日本で原発を稼働するのは危ないというお話が収録されています。もう一度本気で考えたいですね。椎名先生、ありがとうございました。

辺野古の埋立てと沖縄人の心

（二〇一三年四月九日放送）

石部　いま日本に置かれた米軍基地は、その四分の三が沖縄にあります。なぜそうなったかについては昨年（二〇一二年）二回にわたってお話しいただきましたが、新たに辺野古の問題が出てきましたね。

沖縄の全市町村が反対する中で

椎名　今年三月二二日、安倍政権は普天間基地の移転先として日米政府間で合意している名護市辺野古沿岸の軍用滑走路建設のために、公有水面埋立ての手続きに着手して、仲井真知事宛に埋立て認可の申請を行いました。この申請は、国としても全く成算がないままに、アメリカとの関係上やるしかないとして行ったもので、仲井真知事も、県内四一の市町村長がそろって反対している中で、これを認めるのは難しいだろうなと思います。

石部　そろって反対というのは、例えばどんな形で示されたのですか。

椎名　今年一月二七日、この四一の市町村の首長と市町村議会議長及び県議、あわせて一四〇人が上京してオスプレイの配備撤回と普天間の県内移設反対を訴えて四千人集会に参加し、その後銀座をデモしたんです。これは、本当に、切羽詰った結果としての、沖縄人（今回敢えて「沖縄県民」ではなく、「沖縄人」と呼びます）の総意ともいうべき行動でしたが、国内メディアの扱いは意外に小さい。調べてみましたら、朝日新聞には一面にデモしている写真と小さな記事が載りましたが、他の全国紙は記事になっていません。

石部　これほど県の中の市町村長がそろって上京して訴えるというのは、異例のことですよね。

椎名　そうですね。この普天間の移設とオスプレイの配備という問題については、沖縄人の九割が反対であるという調査結果が出ています。四七都道府県の中の一つがここまで決然と反対の意思表示をしているのに、安倍政権はアメリカとの関係だけを考えて手続きを進めようとしているようです。

石部　これはかなり異例のやりかたに感じられます。他の県でこんな例はありますか。

椎名　例えば、福島の事故で出た放射能を含むガレキの受け入れはどこでも市民の反対で目途がたっていませんが、これを国の一方的判断でどこかの県に強制するということになったら大騒ぎになるはずでしょう。それと同じか、多分それ以上に嫌がられている施設を、沖縄人の総意を無視して押し付けるということは、普通ならとても考えられないことですよね。

普天間基地はどうしても必要なのか

石部　普天間の基地は、日本の防衛のために不可欠なものなのでしょうか。

椎名　そもそも、普天間の海兵隊基地は沖縄に存在する必然性がありません。沖縄駐留海兵隊の主な任務はフィリピンやタイ、オーストラリア、韓国を巡回して、各国軍と共同訓練することです。だから、沖縄にいる必然性はない。アメリカが施政権をもっているグァムに置いても全く機能に影響はないのです。それと、昔は沖縄に米軍基地があるから沖縄経済が成り立つということが言われましたが、いまや、それが不要であることは、県内全自治体、そして沖縄人の九割が反対していることからも分ります。米軍から返還された土地の活用で、沖縄では雇用がかなり増えているのです。

石部　いま「返還」とおっしゃいましたが……。

椎名　「返還」と言いましたが、借りていたものを返したのではないんです。もともと、米軍は沖縄人を土地から追い出して勝手に取り上げ、ブルドーザーで基地にしてしまったのです。戦勝者の驕りともいうべき行動でした。

軽視されてきた沖縄人の命

椎名　そして、米軍は、昨年にもお話ししたように、さまざまな形で沖縄人に迷惑をかけてきました。これに関して、先週、最近完成した「ひまわり～沖縄は忘れないあの空を～」という映画の試写会があって、見てきました。

石部　そうですか。どんな映画でしたか。

椎名　この映画は、一九五九年六月三〇日に起きた、当時の石川市、現在のうるま市立宮森小学校に米軍戦闘機が墜落した事故、それから二〇〇四年に起きました、沖縄国際大学へ米軍機が墜落した事故を現代の大学生が調査して、どんな状況であったのかを知って、基地反対の意思表示のために平和コンサートを行うまでの経過が主な流れです。主人公の大学生琉一とその恋人の二人の恋の行き違い、それに宮森小学校事故で友人を失って心を閉ざしていた琉一の祖父良太が心を開いて平和コンサートで思いを訴えるまでの成り行きなど、若者に興味を持ってもらおうという工夫が目立ったいい映画だと思いました。

石部　宮森小学校の事故が一九五九年というと、先生はご記憶でしょうか。

椎名　私は、一九五九年六月というと大学一年生でしたが、この宮森小学校事故については記憶がありません。六〇年安保の前の年だから、日米関係には関心をもっていたはずですが、おそらく米軍占領時代の不祥事だから、本土ではあまり報道されなかったのだと思います。この事故は、嘉手納基地から飛び立った米軍ジェット機が操縦不能になって、パイロットはパラシュートで脱出、戦闘機は民家と小学校に激突して、死者一七名、負傷者二一〇名を出したものです。そのうち、小学生の死者が一一名であったというから、今考えても大事故です。

石部　今だったら当然全国メディアで大きく報道されるはずの大きな事故ですよね。
椎名　普天間基地周辺では、第二の宮森小学校事故がいつ起きても不思議ではありません。いや、その当時よりもっと人口が密集しています。その一方で、アメリカの州になっているハワイ島では、オスプレイが飛ぶ経路から一六〇〇メートルのところにカメハメハ大王の遺跡があるということで、海兵隊は訓練飛行を止めたんですね。ところが沖縄の普天間では、滑走路への進入コースに小学校と幼稚園があるのに、どうして止めないのだろうかと感じます。一九五九年の頃のアメリカの考え方と、現在のアメリカ軍、そして日本政府関係者の沖縄人の命に対する見方は変わっていないようです。
石部　沖縄の方たちが、命を軽視されていると考えるのも無理はないですね。

沖縄人を下に見る本土の人々の視線

椎名　今年一月の朝日新聞に掲載された「終わりと始まり」というコラムで、作家の池澤夏樹さんはこんな内容のことを書いています。「ここまで沖縄人を軽視するということは、本土の人々の大半が、沖縄人を対等の人間と見ていないということではないのだろうか。国民でも一段下だから、これくらいの負担は当然という思い込みが本土側にあるのではないか」。そして、池澤さんは、終わりの方で「縁起でもないことを敢えて言う」と前置きして「今もしオスプレイが墜ちて、一九五九年の宮森小学校事件のようにたくさん死者がでたら、抗議する沖縄人は基地になだれ込むだろう。米兵は彼らを撃つかも知れない」と言っています。

石部　この過去の不幸な事故を振り返って、現在の辺野古埋立てをどうお考えですか。

椎名　公有水面埋立てというのは、どうしてもやらなければならない場合以外は避けるのが原則です。海は一度埋め立てたら、かなり長期にわたって元の状態に戻らないし、対象とされている辺野古の海は、絶滅危惧種であるジュゴンが生息している海域だから、よほどの強い理由がないかぎり埋め立てしないのがあたりまえだと思います。美しい辺野古の海は、世界の人類、そしてそれだけでなく、ジュゴンをふくむ地上の生きものの共有財産だから、これを埋め立てる場合には、そこを保全するよりも、埋め立ててまで行う事業がより重要であることを証明する必要があります。いま、地元の人々の大半がこれに反対しているということは、この保全と開発のバランスでは、圧倒的に保全する必要性が高いということが推定されるということではないでしょうか。

石部　沖縄の問題であるだけでなく、これは私たちの問題であるということを身に染みて考える必要がありますね。

椎名　昨年の放送で石部さんが、沖縄の問題について「いじめられているのが自分ではなく、他の子であることにほっとしている自分がいる」と話されました。どこかで一線を引きたい自分がいる。

石部　そう思いたがっているのかも知れません。

椎名　それなのに、安倍政権は見通しなく埋立ての申請を行いました。米軍や日本政府が沖縄の心を踏みにじる行為がこのように繰り返されてきましたが、最悪のタイミングで、しかも最悪の形で、再び三度同じことが繰り返されようとしています。

石部　そうですね。もう一度自分の問題として考えて見ようと思います。ありがとうございました。

放送後記

この時点で沖縄県内市町村がそろって反対していた辺野古埋立ては日本政府によって強引に手続きが進められ、当初反対していた仲井真知事も賛成に変わった。いくつかの訴訟もあったが、政府はすでに埋立てに着手している。だが、埋立て予定海域の一部の地盤が軟弱であるなどの問題があって、埋立て完了がいつになるか見通しが立たない状況にある。結論的に言えば、問題はこの当時のままに残されている。

ノモンハン事件から学ぶこと

（二〇一五年一〇月六日放送）

石部　北方領土の問題をはじめ、これからロシアとどう付き合っていくかというのが、今後の日本の外交の重要な課題だと思います。以前に日露戦争のお話を伺いましたが、その後はどんなことがあったのでしょうか。

椎名　日本とロシア（一九一七年以後はソ連）は、先日お話しした日露戦争（一九〇五年）と太平洋戦争の最終段階の交戦の間に、大きな武力衝突をしたことがあります。それが一九三九年の「ノモンハン事件」です。この事件は「事件」というよりは「戦争」と呼ぶ方がいいほど大規模な戦闘であり、同時に、日本軍の一部である関東軍が中央の指示を無視して勝手に戦闘行為を拡大していったという点で、非常に大きな問題をはらんだ戦闘でした。ここで「関東」軍とは、日本の関東地方とは無関係で、中国東北部という意味です。

紛争の伏線

石部 この紛争は、そもそもどんなことから始まったのですか。

椎名 事件の伏線は一九三六年頃から始まります。『ノモンハンの夏』というノンフィクションを書いた半藤一利さんは、国境線というものに不慣れな日本という国が、満州国という傀儡国家を作ったことで、国境紛争に直面しなければならなかったことがこの「事件」の一つの原因と説明しています。

石部 なるほど、初めて一続きの土地にある国境線を持ったわけですね。

椎名 問題となったのは、いわゆる「満州国」とモンゴルの国境、現在でいえば、中国とモンゴルの国境を流れるハルハ川付近です。当時のモンゴルはソ連の強い影響下にあって、モンゴルの主張は、そのままソ連の主張でもあったわけです。日本は、この付近ではハルハ川が国境であるとしていたんですが、モンゴル側は、ハルハ川から東一三キロ（つまり、もっと満州国より）のノモンハンと呼ばれる小さな集落を含んで南北に走る線、これが国境であるとしていました。これは非常にはっきりした認識の違いであったために、以前から小競り合いが繰り返されていました。このあたりは放牧に適した草原であり、とくに家畜に飲ませる良い水が得られる井戸があったんです。国境とされる線のどちらも、住んでいたのは遊牧民でしたから。

紛争を拡大させた人物の登場

椎名　満州国建国以来、この一帯を領土と主張する満州国側が警備を厳重にしていましたが、失地回復をめざすモンゴル側は家畜の群れを追う牧畜民にモンゴル兵士が何人かが付き添う形でやってくる。これを満州国側からみれば、越境してくるということになります。そこで小さな争いが起きるということが繰り返されていました。でも、それだけで済んでいれば、傀儡国家満州国をめぐる小さな話題で終わるところでした。

石部　何があったのでしょうか。

椎名　そこに戦前の日本の拡張主義の権化のような人物達が登場してきたのです。関東軍作戦参謀として配属された辻政信少佐（当時）とその上司の服部卓四郎大佐らでした。

石部　辻政信という名前は聞いたことがあります。

椎名　この辻政信という人は、関東軍参謀のあと太平洋戦争の現場でも指導的役割をはたしましたが、終戦後は戦争犯罪を逃れるために国内外で逃亡生活を送ります。そして、捕まるおそれが無くなった一九五〇年に姿を現して、逃亡中のことを書いた『潜行三千里』を出してベストセラーになりました。その人気で地元石川県から無所属で衆議院議員になり、その後参議院議員に転身したあと、一九六一年に東南アジア方面に出かけたきり行方不明となったという、波乱万丈の人生を送った人物なんです。

石部　「波乱万丈」を絵にかいたような人物ですね。

過激な警備方針を採用

椎名　関東軍参謀に着任した辻政信は、国境紛争処理について「満ソ国境紛争処理要綱」を策定して、これを参謀本部に上げました。この内容は、第一に「日本側が明確に国境と認めている場所では、これを越えないように注意すると共に、敵方が越境してきたら十分な兵力でこれをせん滅する。この作戦のためには、敵領内に進入することもやむを得ない」。「せん滅する」とか「敵領内に侵入」というのは、かなり過激です。

石部 これは過激ですよね。「敵領内に侵入」というのは、一種の侵略です。

椎名 そうですね。そしてさらに、第二として、「国境線がはっきりしない場所では、防衛司令部、つまり現場司令部が自主的に国境線を認定してこれを前線部隊に明示して無用の紛争を防止すると共に前線部隊の任務達成を容易にする」。つまり、自分たちが決めた所を国境にするということです。

石部 とんでもないことですね。全部現場に任せてくれということですから。

椎名 その通りで、非常に過激な内容だったのですが、日本軍全体を統括する参謀本部はあえてこれに意思表示をしませんでした。そこで関東軍はこれを一九三九年四月二五日に全部隊に示したわけです。参謀本部が消極的だということは、事件の全体を通じて感じ取ることができます。なんとなく関東軍に押され気味だったんです。

戦闘のはじまり

石部　戦闘はいつから始まったのですか。

椎名　武力衝突が開始したのは一九三九年五月の中旬でした。五月一三日に関東軍は越境してモンゴル内に入っていくし、日本軍戦闘機も敵陣地を爆撃しました。この大胆な行動の背景には、関東軍がソ連の軍事力を過小評価していたことがありました。押してしまえば相手方は下がるだろうと考えていたのです。

ところが、ソ連蒙古連合軍、いちいち面倒なのでこれからは「ソ連軍」と略しますが、ソ連軍は思いがけない大兵力で反撃してきて、日本の部隊は窮地に陥るわけです。最初の本格的戦闘に日本側は一五〇〇名ほどの兵士を出動させたのですが、二五〇名以上の犠牲者を出してしまいました。ソ連軍側の戦車、装甲車の力が予想以上だったのです。そして、五月三一日にソ連軍はハルハ川西岸に一旦退きます。関東軍はこれで今回の紛争は終了とみていました。あくまでもソ連軍は、ちょっと強そうに見えるけれど、じつは弱いと誤信していたのです。

石部　終わりではなかったのですか。

椎名　当時、ソ連は二正面作戦をとっていました。つまり、東では日本とぶつかり、西ではドイツと対峙していたんです。ドイツとの対立をかかえていた欧州戦線へのある種の示威行為として、スターリン首相は日本軍を徹底的に叩く事を五月末に決意します。そして、ソ連の正規軍である赤軍でも最も有能な指揮官ジューコフ中将を派遣して反撃を準備しました。そして六月一九日、大編成のソ連軍爆撃機が、日本側が想定している国境線を越えて攻撃してきて、蓄積してあったガソリンを炎上させるなどの被害を生じさせました。これに関東軍は怒って、第二三師団と戦車部隊を主力とする作戦をたて、六月二七日ソ連軍の戦闘機基地を七〇機で奇襲、かなりの損害を与えました。これで戦闘は、やや大きくなりました。

関東軍の暴走を許した参謀本部

石部　戦闘が拡大したことについての日本の参謀本部の反応はどうだったのでしょうか。

椎名　この戦果報告を受けた参謀本部は、戦闘拡大を避けるように指示して、ハルハ川東岸に進出したソ連軍をあえて撃退しなくてよいとしました。しかし、関東軍は辻少佐、服部大佐の独断でハルハ川を渡り、モンゴル領へ深く進攻することを六月三〇日に決定して、兵士一万五千人と戦車、装甲車など六〇輌余りが西へ向かいました。これで戦闘規模は一気に拡大します。

これを迎え撃つソ連側の戦車、装甲車は総計四五〇輌、機械力では圧倒的に日本側が不利でした。仕方なく、歩兵がサイダー瓶などで間に合わせに作った火炎瓶、七〇年安保の時に警官隊と対峙した過激派が使ったのと同じです。これをもってソ連軍戦車などに密かに接近していって、これを投げつけて炎上させる、一種の特攻作戦で対抗するわけです。

石部　特攻作戦で何とかなったのでしょうか。

椎名　いいえ。やはり物量の差には勝てず、七月四日、日本軍は退却を決定します。日本軍が渡河作戦のためにハルハ川に軍用にかけた橋は一本だけ、しかも食糧や水の補給も考えられていませんでした。その後、戦場は満州国に近いハルハ川東岸に移り、大砲を並べてどんどん撃ってくるソ連軍に関東軍は歩兵主体で対抗するしかありませんでした。その一方、現地作戦本部では、退却命令と前進命令が入り乱れる混乱に陥っていました。これは現場の兵士たちにとってはとんでもないことだったわけです。

石部 一本しかない橋を渡って、もどる兵士と戦闘に向かう兵士がいるわけで、しかも向かっていってもやられる一方ということですから、これはたまりませんねえ。

椎名 そうなんです。山梨出身でこの戦闘に参加された楠裕次さんがこの事件について数冊の本を書いておられます。そのうちの一冊の題名が『あれは何だったのか』というのです。本当に、不条理としか考えられなかったのでしょう。

石部 本当にそうでしょうね。

椎名 戦闘は七月から八月へと続きます。関東軍は兵士の損耗、すなわち命が失われる、ケガをするというのをいとわず攻撃をかけては、ソ連軍機甲部隊と数量も威力も数段強い砲撃で撃退され、殲滅《せんめつ》されるわけです。参謀本部はなんとか戦闘を終わらせようと説得しますが、関東軍、とくに辻少佐らはこれを聞かないんです。八月二〇日、ヒトラーがソ連と取り引きをして、これで欧州戦線に不安がなくなったスターリンは関東軍を殲滅することを決定、ソ連軍は日本軍の平均三倍の兵力をととのえて総攻撃をしかけ、関東軍は壊滅的打撃を受けます。

停戦合意の成立

椎名　ここで初めて、九月四日参謀本部は停戦を強く命令します。そして、九月一六日に両国は、両軍が当時対峙していた位置を国境とすることで停戦合意を成立させることになりました。

石部　これは一九三九年の九月ですね。その後の太平洋戦争において、この戦闘から何か学んだことはあったのでしょうか。

椎名　いや、このノモンハン事件の教訓を全く学んでいなかったんです。この事件には、二年後に開始された無謀な太平洋戦争と共通の問題点が多く見えるんです。この事件では一万に近い戦死者を出しましたが、兵士の命を何とも思わない体質、最新式戦車に火炎瓶で対抗する一種の特攻戦のはしりのようなやり方、補給（兵站）を全く無視して現場兵士を飢えと渇きで苦しめた戦い方、そして情報不足のまま敵の戦力を確認せず突っ込むやり方。この作戦を強行した辻少佐は、太平洋戦争ではガダルカナル島で作戦を指揮して、二万人の兵のうち、一万五千人の兵士を餓死させました。なによりも関東軍の独走が惨禍を招いたことが教訓とならなかったことが大きいと思います。

石部　この事件の教訓は、現在の自衛隊においては受け継がれているとお感じですか。

椎名　外国に出かけて戦闘をすることになった日本の自衛隊に、こんなことが起きない保証はあるのだろうかと考えてみました。偶々、こんな新聞記事を見つけました。山梨日日新聞の記事ですが、「文民統制にまたゆらぎ」と題されています。内容は、最高機密とされている潜水艦音響探知システムについて、防衛省の海上幕僚幹部が、歴代防衛大臣の一部には一切説明していなかった、つまり、人を選んで説明したり、しなかったりしていたというんです。今の中谷防衛大臣は自衛官あがりだから説明していると思いますが、自衛隊を応援してくれない大臣には話さないということです。これは文民統制という原則からは外れるわけです。これについて首都大学東京の木村草太教授は「自衛隊暴走に危機感」というコメントをしています。

石部　軍の暴走を止められなかったというノモンハン事件。今後の教訓にして欲しいものですね。

フィリピンでの戦争のこと

（二〇一八年八月二一日放送）

初めての外国訪問がフィリピン

石部　先生が初めて外国へ行かれたのは、フィリピンだったと前に伺いました。

椎名　はい、一九六八年、大学院博士課程の最後の年に、当時アルバイトで関係していた団体の研修に四名の方が参加するのに通訳として同行して、約一カ月滞在しました。私が最初に着いた首都マニラの街、そして研修地として三週間余り滞在したバギオ、研修で知り合ったフィリピンの友人に案内してもらったマニラから北に二時間ほどの田舎町、どこでも、それより二〇年余り前の戦争の痕跡が残っていました。

石部　二〇年余り前というと、いま平成初期の話をするのと同じ感覚ですよね。

椎名　そう、そういう感じでした。

石部　戦争の傷跡はまだ生々しかったのでしょうか。

椎名　それほどでもなかったのですが、出会う人はほとんどが戦争の体験者でした。今月一一日の夜にNHKで放送されました「祖父が見た戦争」という番組は、アナウンサーの小野文恵さんが、祖父の小野景三郎さんが戦死したルソン島を訪れて、戦没した場所を訪ね歩くドキュメンタリーを中心に、太平洋戦争を考えるものでした。戦争のむごたらしさを、遺体がるいるいと横たわる写真や映像まで使って訴える手法は、NHKとして異例でした。とくに私にとっては一九六八年という、現地の人々の記憶がまだかなりはっきり残っている時点で実際に訪れた経験があるだけに、この番組を見て私のなかに眠っていたフィリピンでの戦争の痕跡に関する記憶を呼び起こされる思いがしました。

ルソン島での戦闘

石部　フィリピンのルソン島というのは、マニラ市があるフィリピンの中心の島ですが、

椎名　ここでの戦闘はどのように展開されたのですか。

石部　一九四一年一二月から翌年にかけて、日本軍がマッカーサーの指揮する極東米軍を追い出した戦闘と、一九四五年一月初旬から終戦までの、米軍が日本軍を全滅させた戦闘の二つの段階があります。一九四二年三月にマッカーサーがマニラ湾のコレヒドール要塞から魚雷艇で脱出するときに「I shall return」（私は必ずここに戻ってくる。そして日本軍をやっつける）と言ったことは、かなり有名です。

椎名　そうですね、そのせりふはよく知られていますね。

石部　一九四五年の戦闘では、マニラは三月までに米軍に占領されてしまいます。その後、日本の大本営は、アメリカ軍を出来るだけ長くここに足止めして、本土決戦を先延ばしにするために、自主自戦―つまり「補給なしで戦え」、永久抗戦―すなわち「死ぬまで戦え」と、フィリピンを守る第一四方面軍に指令しました。日本軍は敗勢がはっきりした中で、ルソン島の中部から北部へ向けて後退しながら抵抗戦を続けていました。

椎名　本土決戦を先延ばしにするためだけに、言わば見捨てられ、置き去りにされたということを、残された兵士たちは分かっていたのですか。

椎名　多分、自分たちが捨て石だということは分かっていたと思いますね。これは沖縄戦も同じことですが。この一九四五年のルソン島の戦闘で死んだ軍人の数は、アメリカ軍がかなり細かく調査しているんですが、二〇万人を超えます。太平洋戦争全体の戦死者が約一七〇万だとされるので、これは相当の割合ですよね。

石部　本当に、大変な犠牲者数ですね。私たちは、今は、一つの命が失われることを重く受け止めますが、こと戦争となると何万何十万という「数」です。命の重さに鈍感になりますね。一人ひとりの方に人生があって、親御さんがいて、ご家族がいるという命ですのにね。

椎名　本当に、そう思いますね。

バギオへの道

椎名　ところで、私が参加した研修が開催されたバギオは、マニラの北二〇〇キロほどの比較的大きな都市です。標高が一五〇〇メートル前後のために、朝晩は長そでを着るほど涼しくて、フィリピンがとくに暑い時期には政府がこちらに移ってくると聞きました。われわれは貸し切りバスでマニラからバギオに向かったのですが、当時の道は舗装されていませんでした。

石部　日本でも昔はガタガタ道をバスが走っていましたっけ。

椎名　そのホコリの舞い立つガタガタ道をバスにゆられて、先ず、稲を育てる田圃の続く道を延々と走り、次に、サトウキビ畑ばかりが続く道になりました。休憩を何回かはさんで六〜七時間走るとやがて山道になります。そこは深いジャングルに刻まれた険しい道でした。これは日本軍が戦車を走らせるために、現地住民を動員して建設したと説明された記憶があります。いま、この道は「ボントック街道」と呼ばれています。このルートは、米軍に追われた日本軍兵士が絶望的な逃亡をした道筋とほぼ重なるんです。

石部　その道筋を二〇年余り後に同じ日本人の先生が通ったわけですねぇ。

椎名　そういうことですね。小野アナの祖父もこの道筋に沿って北へ北へと逃げて、一九四五年六月頃に、日本軍の現地司令部があったバギオに近いルソン島中部のどこかで亡くなったようです。でも、今回の小野アナの調査では、結局、その最期の様子を知ることは出来ませんでした。「戦死」と言うと、敵の弾にあたって亡くなる姿をすぐに連想しますが、日本軍の戦死者の多くは、このルソン島でも他の戦闘地域でも、食べるものがなくなっての餓死や逃亡に疲れての病死が多かったといいます。

ついには人肉まで食べてさまよい歩いた

椎名 政治学者で立教大学名誉教授だった神島二郎さんもこのルソン島中部での戦闘を実際に体験した方です。私がこの大学の図書館長だった一九八〇年代後半には、まだ生涯学習センターが無かったので、毎年「図書館公開講座」を開催していました。そこに神島さんを講師としてお招きしました。ご著書で読んだ神島さんの実体験を通じて、戦争の虚しさを学生たちに語っていただくのが狙いでした。神島さんの話で忘れられないことがあります。米軍の攻撃を逃れて山中に隠れて、病み衰えた兵士の傍で身体を休めている時に、その兵士が死ぬと、彼にたかっていたダニやシラミが一斉にゾロゾロと音を立てて遺体を離れるという話でした。死んで血液の循環が止まると、もはや吸血の対象ではなくなるからなのでしょう。いまでも妙に現実感があります。

石部 それは…体験者でなければ話せないことですね。

椎名　米軍に追われて山岳部に逃げ込んでバラバラになった日本軍兵士たちは、ある段階で軍隊ではなく、攻撃を逃れながらひたすら食べ物を求めて密林をさまよう人々の群れになってしまいます。作家大岡昇平の『レイテ戦記』にも書いてありますが、補給なしに山中を逃亡する日本兵にとって、食料の確保は生死を分ける必死の営みで、ネズミ、トカゲからあらゆる昆虫、根菜など、口に入るものは何でも食べたというのです。でも、さらにショッキングな体験談もあるんです。

石部　聴くのが怖いような気がします。

椎名　この戦線に一九四四年から軍医として従軍した守屋正さんがその体験を綴った『フィリピン戦線の人間群像』という本の中では、まさしく地獄の光景が語られています。ちりぢりになった後、数人の陸軍兵のグループが人の肉を食べるのを常習にしていると聞かされたというのです。場合によれば、弱った日本兵を殺してまでその肉を切りとっていたようです。陸軍通信兵だった尾崎健一さんも、こんな経験を語っています。「ある日、山中で出会った日本兵が、乾燥肉を差し出して、『これを何か調味料と交換してくれ』という。調味料がないのでおいしく食べられないというのだ。あの状況下で、あの乾燥肉の正体は人肉しかない」。

私の見た戦争の痕跡

椎名 私たちは無事にバギオの研修施設（といっても兵舎を改造した程度のものでした）に到着して、三週間ほど研修がありました。その途中のある日、私たち日本人五人が滞在していることを聞きつけて、山間部の少数民族らしい十数名の男たちがやってきました。当時、日本から、フィリピンで戦死した兵士の遺骨を収集に来ることがあって、当然、それを手伝うといい金儲けになります。高度成長途上の日本は、すでにフィリピンから見れば豊かな先進国でした。私たちが日本から来た遺骨収集団だという誤報が彼らに伝わったようで、ただのセミナー参加者だという話を聞いてがっかりしてへたり込んでいる様子でした。それほど、このあたりの山には日本兵が多く死んで埋まっているということを示すエピソードでした。

石部 研修が終わった後にも戦争の傷跡に出会ったそうですね。

椎名 セミナーが終わってマニラに戻った翌日、主催者側がバスを仕立てて、研修参加者にマニラの名所案内をしてくれました。マニラ湾は美しい夕日で有名な海の名所です。でも、そこから右手に長くのびているバターン半島は、一九四二年四月に、日本軍に捕らえられた米軍とフィリピン軍の捕虜を収容所に移送するために、炎天下を行進させて、捕虜七万人余りのうち七〇〇〇人から一万人が死んだとされる「バターン死の行進」で有名です。

石部　その言葉は聞いたことがあります。とても美しい景色の裏でそんな悲惨な事件があったとは信じられませんが。

椎名　マニラの中心部に近い場所に「イントラムロス」と呼ばれる名所があります。ここはフィリピンを最初に植民地にしたスペインが十六世紀に建設した、城壁で街を囲った城塞都市の遺跡です。スペイン語の名前は「壁の中」という意味で、現在では世界遺産になっています。その一角に、地下牢跡があります。NHKの番組では小野アナもここを訪れていました。そこに案内されて行ってみると「アメリカ軍に協力したマニラ市民が日本軍により、ここで溺死させられた」という内容の英語の説明板があるんです。日本人参加者で一番英語に慣れている私がこれを読んで、案内をしていた研修主催団体の幹部に「I am sorry」と謝罪の意思を表明したところ、「椎名は戦争当時何歳だったの」と訊かれました。私が「四歳でした」と答えると、「お前は幼児だったのだから、責任はない。忘れてくれ。われわれは友人だ!」と慰めてくれました。私は、虐待行為をした日本人の一員として謝罪したつもりだったのですが。

石部　日本軍の戦争当時の行為について、現地の人に何か非難されたようなことはありましたか。

椎名　日本人の戦争行為について、私が出会った大多数のフィリピン人は寛容でした。恨みがましいことを言う人とは出会いませんでした。帰国する前の日に、フィリピン人の友人にマニラからバスで二時間ほどの田舎町に連れて行ってもらいました。そこで色んな人と出会ったのですが、ある高齢婦人は、「お前は、戦争の後に初めて見る日本人だ」と言い、「よく来たな」と歓迎してくれました。

石部　その頃には日本人が大勢フィリピンに行っていましたよね。

椎名　首都マニラとか、木材を切り出して日本に輸出していたミンダナオ島の一部にはかなり行っていましたが、ビジネスに関係のない田舎町には来ていなかったのだと思います。だから珍しがられたのでしょうね。多分、このあたりは、マニラから山岳部への通過地点で、あまり酷い経験をしなかったせいだと思うんです。それでも、このような田舎まで、日本軍の兵士が来ていたことは間違いないようです。

石部　日本人に反感があまりないのは、その後の教育との関係もありますか。

椎名　戦争直後にはかなり反日意識が強かったようですが、国として反日教育をしなかったことが大きかったと思います。それと、フィリピンについては、この国が一六世紀からスペイン、その後、一八九八年の米西戦争の結果としてアメリカと、ずっと植民地だったのが、第二次世界大戦後に初めて独立国になったことです。日本軍が来たおかげで独立できたというような受け取り方も一部にはあったのです。

石部　未だ二十代のお若い頃に、とても貴重な体験をされたんですね。ありがとうございました。

放送後記

後で気づいたことだが、フィリピンを始め各地の戦場で日本兵が米軍などに降伏せずに山中をさまよい歩いていたのは、一九四一年一月に陸軍大臣東条英機が示達した「戦陣訓」にあった「生きて虜囚の辱めを受けず」の束縛によるものではないか。彼らは戦時国際法を教えられず、捕虜の権利をほとんど知らなかった。

「明治一五〇年」のいかがわしさ

（二〇一八年二月六日放送）

石部　この頃あちらこちらで、「明治一五〇年」ということが言われていますが、どうお考えになりますか。

言い出したのは安倍首相

椎名　「明治一五〇年」あるいは「明治維新一五〇年」と言われていますね。実は、これを言い出したのは安倍晋三首相なんです。戦後七〇年にあたる二〇一五年八月、山口県に里帰りした時に、明治五〇年にあたる年は長州軍閥を代表する寺内正毅、明治一〇〇年にあたる年は自分の叔父の佐藤栄作が首相だったと紹介し、「私は県出身八人目の首相。頑張って平成三〇年までいけば、明治維新一五〇年も山口県出身の安倍晋三が首相ということになる」と、明治からの歴史の継続性と長州出身の政治指導者が多いことを自慢し、自分もその大政治家の一人であると自慢してみせたわけです。

石部　山口に里帰りした時だったから、拍手で迎えられたでしょうね。今年がその平成三〇年ですね。

椎名　今年一月二二日に安倍首相は施政方針演説をしたんですが、その冒頭でも、山川健次郎など明治期に活躍した人物の名前をちりばめて、今年が明治元年から一五〇年にあたることを強調しました。

政府各省が記念行事を競う

椎名　この安倍首相の意図を忖度した菅官房長官は、各省に明治維新一五〇年記念行事を行うよう指示しました。いま、政府のホームページを見てみると、各省庁が競って関係イベントなどを公表しています。例えば、外務省は、明治維新以降の我が国の近代化の一側面を示す、幕末から昭和にかけての外交史料館所蔵史料を検索サービスで紹介する予定です。総務省は、地域の美術館・博物館等に収蔵されている有形文化財や、地域の祭礼等の無形文化財をデジタル・データ化する事業に対する地方財政措置を活用し、地方公共団体が行う明治期の歴史的資料等のデジタル・データ化を支援します。農水省は、蚕糸関係団体等と連携して、明治期の生糸産業の歴史に関する資料の収集・整理、デジタル・アーカイブ化を行う、など。その一つひとつは決して悪いことではないのですがね。

石部　記念行事は国の省庁だけですか。

椎名　政府は、当然のことのように、地方自治体にも明治一五〇年関連事業の実施を指示していますす。なんと、山梨県内の市町村でも、上から文化財担当職員に、「何か事業をやらないのか」と催促する動きがあるそうです。

安倍首相のねらいは

石部　先生は安倍首相の狙いはどこにあるとお考えですか。

椎名　心ある人達から評判がよくない安倍首相の思い付きだけに、どうしてもその意図にいかがわしさがあると考えてしまうんです。何よりも、明治維新から一五〇年ということで、その期間の大きな分岐点にあたる第二次世界大戦での敗戦から開始する、安倍首相にとって許しがたいアメリカによる占領時代を国民に忘れさせたいという狙いがあるんではないかという、少し穿った考え方をしているんです。

石部 戦前、戦後という分け方ではなく、明治から一五〇年ということで……。

椎名 そう、一続きに括ってしまおうということです。そして、明治維新から戦争の時代に至る期間について「明治という新しい時代が育てたあまたの人材が、技術優位の欧米諸国が迫る『国難』とも呼ぶべき危機の中で、我が国が急速な近代化を遂げる原動力になりました」と言い、「アジアで最初に立憲政治を打ち立て、独立を守り抜きました」と、ひたすら素晴らしい時代であったかのように評価して見せているわけです。

国民主権から天皇の支配に逆戻り

石部 安倍首相は十五年戦争の時期をどう見ているんでしょうか。

椎名 もちろん、安倍首相も、満州事変以後の一時期を「進むべき進路を誤り、戦争への道を進んで行った」というんですが、安倍総裁の下で起草された二〇一二年自民党改憲案を見れば、国民主権の意義をほぼ捨て去り、天皇を「元首」であるとしています。その前文には「日本国は、国民統合の象徴である天皇を戴く国家であって」と書いてある。つまり、明治憲法回帰の意図がはっきりしています。

石部　いま聞いただけでは、「天皇が象徴である」というのとの違いが分かりませんが。

椎名　ポイントは、「天皇が元首である」というところです。現行憲法は国民が主権者ですが、自民党憲法案では、天皇が支配する国家だということです。安倍首相の頭の中では、天皇の統治権を名目にして、明治憲法下で政府と軍部が好き勝手をやっていた時代が「素晴らしい時代」に見えているんでしょうね。

石部　天皇に統治権があった方が、政府が好きなことをやれるということですね。

椎名　「天皇の命令である」ということで、それが正当化されるわけです。

明治維新とはなんであったのか

椎名　明治維新とは何であったのか。改めて考えてみましょう。時期としては、一般的には慶応三年（一八六七年）の大政奉還、王政復古の大号令から明治一〇年（一八七七年）の西南戦争あたりまでをいうのが普通なんです。

石部　そこに一〇年ぐらい幅があるんですね。

椎名　だから「明治維新一五〇年」という言い方そのものが曖昧なんです。明治維新そのものも、単なる近代化でも西欧化でもない。「明治維新」を英語訳するとメイジ・レストレーション、つまり「復古」すなわち、古きに帰るということなんです。

石部　あれ、ほんとだ。「新」と「古」では全く逆ですね。

椎名　十四世紀の建武中興の時に少しの間だけ天皇が政治の実権を持ちましたけれど、それ以来久々に天皇が政治の実権を取り戻したことを意味しています。もちろん、それは形だけのことで、政治の実権は長州閥などの政治家と軍人が握っていたわけですね。ここで明治維新を実現したのは薩長藩閥政権だと言われていますが、実務を担った官僚の多くは幕府に仕えていた人たちです。維新後の外交も内政も、長く政治行政の実務を担っていた江戸幕府関係者に具体策があって、それを政治経験のない長州人がそのままやらせていたわけです。

国民を搾取して実現した富国強兵

石部　先生が、「明治一五〇年」をいかがわしいとお感じになるのは何故ですか。

椎名　私がとりわけ「明治一五〇年」という言い方に反発を感じる理由は、その前半の時代が国民を痛めつけた時代だったからです。この時期は、何よりも日本の資本主義経済体制が急速に西欧諸国に追いつくために、資本の蓄積を急いだ時代でした。西欧の国はこの資本蓄積のかなりの部分を植民地からの収奪でやりましたが、日本には当初それがなかった。だから自国民から搾り取るしかありませんでした。

石部　安倍首相のいう素晴らしい時代とは違いますね。

椎名　安倍首相は「我が国が急速な近代化を遂げた」といいますが、そこで行われた富国強兵政策の背後では、江戸時代よりはるかに厳しい土地代、小作料、そして地租という名の税金で庶民はとことんまで搾り取られたわけです。

石部　この時期の山梨での搾取については、昨年お話を伺いました（「大小切り騒動」の頁参照）。

椎名　昨年（二〇一七年）九月から本学生涯学習センター主催の「やまなし学」の講義で、一八七二年（明治五年）、山梨の庶民が大小切りという従来の税制を一方的に変更する政府の措置に抗議して決起し、さんざんに弾圧され、その後、ひたすらお上の意向にさからわない骨抜きの状態にされたことをお話ししました。甲州財閥が東京などで活躍して東京電力や東京ガス、首都圏の鉄道会社の基礎を作った資金も、山梨の農民が支払う地代や小作料が原資であったわけです。明治という時代、こうして、庶民の犠牲の下でうわべの西欧化、近代化が成し遂げられたということを忘れてはいけないと思います。

「徳川の平和」に注目したい

椎名　明治を、暗い江戸時代を克服した明るい時代だととらえる安倍首相の考え方は一方的です。むしろその前の江戸時代にこそ注目すべきだと思うんです。

石部　えっ、それはどういうことですか。

椎名　『逝きし世の面影』（葦書房一九九八年）という著作で江戸時代を再評価した渡辺京

二さんは、「明治維新一五〇年」への違和感を次のように語っています。「『江戸は遅れた貧しい時代だった』という、江戸を全否定する国の教育の影響は大きい。私たちは遅れた江戸が文明開化で豊かに、幸せになったと教科書で習ってきたが、これは捏造された歴史だ。二五〇年も平和が続いた『徳川の平和』に今、世界が注目している。平和だけでなく、日本古来の自然観の中で、江戸は当時世界一の大都市ながら循環型で持続可能な社会を営んできた。その時代の存在を否定的に捉えるのは誤りだ」。

石部　着物にちょんまげ姿であったのが、洋服を着るようになり、汽車が走ったというように、いい方に変わったと思いがちですが、違う面もあったということですね。

椎名　そうなんです。渡辺京二さんはこう続けています。「一五〇年前は私たちの祖父や曽祖父が生きていた時代であり、そう遠い時間の流れではない。まだ手が届く所にあり、検証は間に合う。勝者に都合がいい歴史に洗脳されることなく、さらなる悲劇を繰り返さないために、少々歯切れは悪くとも史実は史実として真面目に向き合う勇気を持ちたい。少なくとも隠蔽と捏造を許してはならない」。渡辺さんがいうように、「明治一五〇年」とか「明治維新一五〇年」という表示をみたら、安倍首相の仕掛けた怪しいワナだと疑う習慣を身に着けていただきたいと私は思います。

明治一五〇年へ地方からも異議が

椎名　「明治一五〇年」には、地方からも異議が出されています。「東北学」を提唱する赤坂憲雄さんは、明治一五〇年を名目とした祝祭イベントについてこう言っています。「たとえば、東北からは、それは戊辰戦争の敗北からの一五〇年であって、決してお祭りにはなりません。会津藩士の士族とその家族たちが、『シベリア流刑のごとく』に下北半島への移住を強いられたことを思い返すだけで、ひたすらに勝者の明治維新を寿ぐようなイベントには乗れないと感じます」。

石部　ああ、なるほど。歴史はそれぞれが各自の立場で刻んでいるものですものね。

椎名　歴史を多面的に見ることが、支配者に騙されない唯一の方法だと思います。

石部　歴史はこうしている今も書かれているのだと感じなければいけませんね。

渋沢栄一のこと

（二〇一九年一一月一九日放送）

石部　ＮＨＫの大河ドラマは、予定としては再来年まで発表されていますね。

椎名　その再来年の「青天を衝け」の主人公が渋沢栄一です。これまで、明治を動かした人物として、伊藤博文や福沢諭吉ほど著名ではなかった渋沢栄一が、これから先有名になりそうですね。さらには、二〇二四年から新たに発行される一万円札の顔になるというのです。

石部　キャッシュレス時代ではありますが（笑）。

渋沢栄一の人となり

石部　どんな人物だったのか教えて下さい。

椎名　渋沢栄一は、埼玉県の、現在は深谷市の一部になっている村の、豊かな農家の次男として生まれました。農家と言っても、藍玉の製造販売を行う家で、原料の買い入れと販売を行うために商業的な才覚が求められる家だったようです。渋沢栄一も十四歳の時から父と共に信州や上州まで藍を売りに歩いて、単身で原材料を仕入れに行くような経験もあり、こうした経験の中で現実的合理主義を身につけて行きました。

石部　まさにたたきあげの商人だったんですね。

椎名　青年時代には、幕末の騒乱の中で一時倒幕運動にも加わりましたが、やがて一橋慶喜に仕えるようになりました。維新後は政府の中で経済官僚も務めましたが、実業の世界に活躍の場を求めて一八七三年五月に辞任しています。その後、第一国立銀行（現・みずほ銀行）、日本鉄道（現・JR東日本）、東京ガス、王子製紙、帝国ホテルなど五〇〇社余りの企業の設立や運営に関わったわけです。

企業経営には公益目的も

石部　この時期に有名な実業家は何人もいますが、渋沢栄一らしさというのはどんなところですか。

椎名　いま渋沢栄一に注目が集まっているのは、経済活動、とくに企業経営の目的が、単に利益を挙げることだけではなく、社会倫理を伴った公益目的を兼ね備えていることを重視したからなんです。例えば、同じ時代の実業家岩崎弥太郎は海運業などで独占的地位を築いて、三菱財閥を形成しました。これに対して、渋沢はひたすら「私益より公益」を重視して、関わった企業を一族で独占したりせずに、広く一般から出資を募って公開する、そして財閥を作ろうとしなかったのです。

石部　そこは大きな違いですね。

椎名　現在では、株は誰が買ってもいいように公開されていますね。この「株式会社」というやり方が当たり前になっていますが、明治期の財閥系企業は、一族で相互に持ち合う形で、ほとんど株式を公開せず、「コンツェルン」と呼ばれる閉鎖的組織形態を形成していました。この財閥系企業が株式を公開するようになったのは、一九三〇年代に入ってからだそうです。

石部　渋沢栄一は会社の経営の仕方もオープンだったようですね。

椎名　渋沢は多くの会社に関わりましたが、その経営についても関係者で独占することをしないで、広く人材を求めて、信頼をおける人物がいたら、その人に委ねていきました。自分のカラーを強く出さないで、人的ネットワークを作り、利益を社会に還元する考え方を実践しようとしたんです。そこに何があったかというと、「日本全体をよくしたい」という願いがあったとされます。

「論語と算盤」の意味

椎名　こうした公益重視の考え方を、渋沢は「論語と算盤」という言葉で表現しました。この言葉を、國學院大学教授で経営史研究を専門にする杉山理枝さんはこんな風に説明しています。「これを分かり易く言えば、公益や社会貢献を考えながら、一方では利益を上げていくということです。そして、利益を挙げたならば、それを自分のものにするのではなく、国や日本経済に還元していくということです。彼は小さい頃に論語を学びましたが、その理念を生かして公益を追求するのですが、同時に『そろばん勘定』を大切にしていました。論語とそろばん勘定はとうてい相容れないように思えるのですが、彼の活動ではそれが両立していました」。

石部　一見矛盾しそうですが、行動することで両立させていったということですね？

椎名　そうですね。渋沢栄一の発言を集めた、島田昌和編『渋沢栄一のメッセージ』という本には、「孔子が富貴、つまり富み栄えることそのものを否定したように考えるのは誤解であり、正しい道を踏んでそこに至るのは決して否定されていない」と渋沢栄一が説いている一文が収められています。

石部　ふ～ん、なるほど。

椎名　やってはいけないのは、不正な手段を使って富を蓄えることであり、道理正しい方法でそれを手に入れることは許されると解釈できるというのです。論語の思想を誤解させたのは、十二世紀の宋時代に生まれた朱子が起こして、その後盛んになった朱子学、これは徳川幕府の公の学問ですが、これであると渋沢は述べています。

石部　論語の理解を彼なりに極めたということですね。

いま、渋沢栄一に学ぶ動きが加速

椎名　渋沢栄一の、経営における公益重視という思想を学ぼうという動きが、ここ数年の間に急速に盛り上がっています。渋沢栄一に詳しい作家の守屋淳さんは、「十年程前までは、大企業の幹部研修会で渋沢栄一の話をしても『よく知らない』という人ばかりでした」といいます。「その風向きが変わったきっかけはリーマン・ショックだった」そうです。リーマン・ショックというのは、二〇〇八年秋に米国の大手投資銀行リーマン・ブラザーズが経営破綻したことから、世界的な金融危機に発展して、世界全体が深刻な不況に陥った事件ですよね。

石部　そうでしたね。

椎名　守屋さんは、「リーマン・ショックを機に、強欲な資本主義や企業は長く続かない、と多くの人が思うようになった。きちんと長く続く経済や企業をつくるにはどうしたらいいか。そこで渋沢の思想に行き当たったのだと思います」といいます。利益至上主義はいずれ限界がくるはずです。実際に、地球温暖化や環境破壊、貧富の格差拡大など、解決が難しい問題が沢山出てきていますよね。「倫理を伴った利益の追求」という渋沢栄一の思想が、これからの経済運営や経営戦略にヒントを与えてくれるのではないか、そんな意識が高まっているようです。

石部　巨大ＩＴ企業などが合併してさらに大きくなっていく状況がありますが、こうした思想を忘れないでほしいですね。

椎名　これは日本に限ったことではなく、外国でも渋沢の考え方に注目する動きがあるというのです。守屋さんは「実は中国でも渋沢人気が広がっている」といいます。

石部　え？　論語の国で？

椎名　渋沢の講話を集めた「論語と算盤」の中国語訳が九種類も出ているようなんです。守屋さんによると、「中国は九〇年代に資本主義化が強まってから、拝金主義、金がすべてという考え方がはびこって、競争が激しくなり、国民の幸福度はものすごく落ちているというのです。この現状をなんとかしたいと考えて、中国で生まれた『論語』を重視した渋沢栄一に学ぼうという人が増えている」のだそうです。

石部　逆輸入のような現象ですね。

椎名　この、従来の資本主義や企業のあり方を見直す動きはアメリカでも生まれています。今年八月には、米国の主要企業でつくる経営者団体「ビジネス・ラウンドテーブル」が、米国の資本主義の根幹ともいえる「株主第一主義」を見直すと宣言しているんです。

実学教育振興に尽力

椎名　これからの日本の企業社会では、経営において公益性を重視する考え方をどう育てるかがカギとなるはずです。渋沢栄一は教育、とくに、その当時あまり意識されていなかった実学教育に力を入れました。

石部　どんなことですか？

椎名　渋沢は森有礼と共に現在の一橋大学の基である商法講習所の設立に尽力しました。また、大倉喜八郎と協力して大倉商業学校、これは現在の東京経済大学ですが、これの設立に関与しました。その他、二松学舎（現・二松学舎大学）の第三代舎長（学長）を務めたり、井上馨の要請で同志社大学への寄付金取りまとめに奔走したりしました。さらに女子教育の必要性を考えて、伊藤博文や勝海舟と一緒に女子教育奨励会を設立して、日本女子大や東京女学館の設立に携わりました。

石部　教育に、文字通り「尽力」していますね。

椎名　先日、関西電力をめぐって金品のやりとりが行われた話をしましたが、こういう自己利益ばかりを考える風潮が、結果的には日本経済の成長を鈍くし、日本全体の元気を失わせているような気がします。その意味で、渋沢の再評価はなにかを変えるきっかけになるかも知れませんね。

石部　たしかにそうですね。

椎名　最後に、渋沢栄一について、彼の弱点のことをお話ししておきたいと思います。渋沢栄一は正妻の他に、家に愛人を複数名おくなど、女性関係が多かったんです。

石部　え？　家に置いたのですか？

椎名　そうです。当時のお金持ちとしては当然のようなことだったかも知れませんが、少なくとも意識の高い女性層には評判がよくなかったんです。渋沢の社会活動における実績に比べて知名度が今一つ上がらなかった理由かも知れません。

石部　政治は政治、経済は経済、そして、大奥は大奥といった時代背景があったのかも知れませんね。大河ドラマにそこがどう出て来るかですね。

椎名　おそらく出て来ないだろうと思いますがね（笑）。

三　やはり歴史が面白い

～「でもこの数字には裏があります」

海を渡った旧石器人

（二〇一七年一〇月三日放送）

旧石器時代に関する日本の通説が覆った

石部　最近はどんな本をお読みになりましたか？

椎名　最近読んで面白かったのは、国立科学博物館の海部陽介さんが書いた『日本人はどこから来たのか？』（文藝春秋社二〇一六年二月）という本です。日本列島に人類がやってきたのは後期旧石器時代（現在から一万五〇〇〇年前～三万八〇〇〇年前の間）で、それ以前は日本列島には人類がいなかったというのが、海部さんによれば最近の人類学の多数説のようです。

石部　最近の説というと、以前は考え方が違っていたのですか。

椎名　日本の考古学・人類学の歴史をさかのぼっていくと、戦前戦中までは、縄文時代より古い人類は日本列島にはいなかったというのが通説でした。ところが戦後間もない一九四六年に、民間考古学者の相沢忠洋さんの発見が通説を覆しました。相沢さんは行商をしながら遺跡を探していたのです。

石部　そうですか、ご苦労されたんですね。

椎名　相沢さんは、群馬県の赤城山南東で関東ローム層とよばれる火山灰の堆積の中から石器を発見して、明治大学の杉原荘介教授の研究室に持ち込みました。一九四九年に行われた明治大学の発掘調査によって、これが後期旧石器時代の遺跡であることが確認されて、岩宿遺跡と命名されました。この発見が確認されると、「あっ、やはりあったんだ」ということで、日本各地で旧石器遺跡が次々と発見されるようになりました。現在では一万件以上の旧石器遺跡が確認されています。思い込みが学問の発展を妨げてきた一つの例といえます。

石部　縄文人より前にヒトがいたのですね。

椎名　そのことが遺物で確認されたわけです。

猿人から原人へ

椎名　では、この旧石器人はどのように日本列島にやってきたのか。これについては、一九七〇年頃までは、北回り説と南回り説の二つの説が対立していました。北回り説というのは、北東アジアから、最後の氷河期による海面低下で当時ユーラシア大陸と陸続きであったサハリン（樺太）から北海道へ、そして本州へとやってきたという北方起源説です。もう一つの南回り説は、中国南部から島伝いに九州にやってきたという南方起源説です。この二つが拮抗していました。この点について、海部さんは最近の著書の中で、北と南の二つのルートを辿ってきた人類が日本列島で出会って、そしてその人たちが混じり合うことで、日本列島旧石器人が誕生したという説を明らかにしています。

石部　それは興味深いですね。

椎名　海部説は、これまでの説と違い、確認されている人類の遺跡の年代だけを論拠として、アフリカを出発したホモ・サピエンス（現生人類）が日本列島までやって来た足取りを確認しています。人類が類人猿から分かれて進化の道を歩み始めたのがアフリカであることはほぼ間違いありません。ヒトへの第一歩である「猿人」について、海部さんは、そのあたりにいれば、動物園からゴリラかチンパンジーが逃げ出してきたと思うような姿だっただろうと言うのです。

石部　(笑)ヒトには見えないということですね。

椎名　それが、やがて数百万年経過して「原人」という段階になる。海部さんによれば、この原人が現代人の服装をして街をあるいていると、「やや変わった風貌と体格をしている人」という感想をもたれる程度になっていただろうというのです。

石部　なるほど(笑)、そこまで変化したわけですね。

椎名　この原人段階で、アフリカを出て、ユーラシア大陸からジャワ島あたりまで広がったことは、化石の発見で分っています。原人といっても一種類ではなく、複雑に枝分かれしていたことが、これまでの世界各地における原人段階の遺跡と化石の発見によって判明しています。でも世界に広がったこれらの原人は、最終的には全部滅びてしまいました。

ホモ・サピエンスの誕生と東進ルート

椎名　アフリカに残った原人の中から現代人の祖先であるホモ・サピエンスが誕生したのが約一五万年前らしいのですが、これには三〇万年前など、諸説あります。

石部　そのあたりは、別の機会に伺いましょう。

椎名　ホモ・サピエンスがアフリカを出て世界各地に広がり出した時期についても、一〇万年前とか七万年前などの複数の説があるのですが、海部さんはあくまでも遺跡とその年代で現生人類の足跡を辿る方法を積み重ねて議論を進めています。そして、後期旧石器時代に属する遺跡のまとまりがユーラシア大陸のどこにあるかを大きくとらえて、移動が海岸沿いに進んでいったグループと、ヒマラヤ山脈の北側を通って北回りで東へ進んだグループがあるというのです。

石部　ここでも北回りと南回りの二つのルートがあったという考え方ですね。

椎名　南回りルートのうち先に進んだグループは、インド亜大陸に四万五〇〇〇年前に遺跡を残しています。それと前後して、インドシナ半島から当時陸続きだったボルネオ島、セレベス島を経てニューギニア、そしてオーストラリアに到達しています。現在アボリジニーと呼ばれるニューギニアやオーストラリアの先住民になっている人たちです。ただし、この人たちも、海を越えるという大きな困難を克服しています。

石部　そうですよね、海を越えて到達したんですよね。

椎名　南回りルートの別のグループは、四万年から三万八〇〇〇年前頃に中国のいくつかの地域に遺跡を残して、やがて日本列島に到達しました。ここでも台湾ないし朝鮮半島あたりから海を渡る必要があったのです。

石部　ようやく日本列島にヒトが現れることになりました。

椎名　北回りルートでは西シベリアからバイカル湖付近に至る三〇〇〇キロの範囲に、四万六五〇〇年前から四万年前頃にわたる遺跡が散在しています。この時期、このあたりの冬は、最終氷期の最中だから、かなり寒かったと思うのですが、なんらかの形で適応したのですね。なんと北極海に近いシベリア北部にも、三万三〇〇〇年前の遺跡が確認されています。

石部　二つのルートのどちらが早く日本列島に到達したのですか。

椎名　アジア大陸から日本列島に入るコースとしては、当時陸続きであった北方ルートが早そうですが、どうやら朝鮮半島から対馬を経るコースが早かったというのが海部さんの説です。それは、現在の本州中部に一番早い時期の旧石器遺跡が多いからです。

海を渡った旧石器人

椎名　ただしこのルートでは、朝鮮半島から対馬へ、そして対馬から九州北部へと、今より海峡が狭かった当時でも四〇キロの海を渡る必要があるのです。

石部　海を渡ってでも行かなければならない、どんな理由があったのでしょう。

椎名　そこは謎なんですが、やはり遠くにかすかにでも見えると、行って見たくなったのではないかと思うのですが。

石部　そうか、そんな好奇心が駆り立てたのでしょうかね。

椎名　実は二〇一六年七月に海部さんら国立科学博物館のチームは、台湾から与那国島まで直線距離一〇〇キロを、与那国島に自生する水生植物ヒメガマで作った草舟で渡る実験を試みたのですが、たまたまその日は黒潮の流れが通常より速かったために北に流されて、試みは失敗してしまいました。でも海部さんは、最適な海の条件が合えば、この程度の船で渡れたはずだといっています。何よりも、当時の海を越えて旧石器人が日本列島に足跡を遺していることが、海を越えられたことの間違いない証拠なのです。

石部　なんらかの方法で来ていることは間違いないはずですね。

椎名　日本列島各地の地層を調べてみると、いまからほぼ二万九〇〇〇年前から約三〇〇〇年の間に、現在の鹿児島湾にある姶良火山が巨大爆発をくり返して、その火山灰が東北地方北部まで降り積もりました。

石部　すごい量の火山灰ですね。

椎名　これを地質学ではATテフラと呼んでいて、鮮やかな黄色をしています。たしかに山梨県でも多くの場所で、数センチの鮮やかな黄色の層が確認できます。だから、この下から遺跡が出れば、約三万年前よりは古いことになります。

石部　それは分かり易いですね。

椎名　日本旧石器学会がまとめたデータ・ベースで確認されているだけでも、三万年前より古い遺跡が四四〇ほどあります。三万八〇〇〇年前より以前には何もなかった日本列島に、一万年弱の間にこれだけ遺跡が残されたということは、ある程度の数の人類がここで活動を開始したことを示していることになります。

石部　三万八〇〇〇年前には何もなかった、そして三万年前までの間にはかなりの数の遺跡がある。ということは、この間にかなりの数の人々が渡って来たということですね。両ルートからやってきて日本列島で出会っているということですか。

北からの旧石器人は細石刃を持ってきた

椎名　北方ルートはやや遅くなります。最初は南回りの人々です。北からはこれより五〇〇〇年ほど遅く北海道に到達して、やはり津軽海峡を船で渡って本州にやってきています。その証拠になるのが、北東アジアで発明された「細石刃」といわれる黒曜石の、数センチの薄い剥片《はくへん》を槍先型の木製品に掘った溝に沿って並べるようにはめ込んで、投げやりを作る技術です。使用して一部が欠けたら、別の細石刃で補充できる点で、当時としては優れものの技術でした。この細石刃が北から来た集団の遺跡で見つかるのです。例えば清里から山梨県境を越えた野辺山のあたりでかなり沢山発見されています。これは、北ルートの人々が南下してきたことを示しているのです。

石部　津軽海峡を渡った人たちが、野辺山あたりまで来ていたのですね。

椎名　もう少し西まで行っていますがね。こうして、北ルートと南ルートの人々が本州各地で出会って、混ざり合って、日本旧石器人となったというのが海部さんの説です。

石部　なるほど、各地で出会ったわけですね。

椎名　では彼らはどのように航海術を身につけたのでしょうか。これはまだよく分かっていません。だからか私の想像の域を出ないのですが、海伝いにやってきたホモ・サピエンスは、各地の海で小船を使って漁をして食料調達していたのではないでしょうか。そうすると、小船が時ならぬ風で流されて、かろうじて命からがら海岸に帰り着くというような経験を繰り返すこともあったはずです。このような経験をくりかえすことで、海を越えるまでの航海術を集団として身につけたのではないかと考えています。

石部　漂流記のようなおとぎ話は世界各地にあります。そんな昔の経験が蓄積されていったのでしょうか？

椎名　海を渡った中には、おっしゃるような漂流もあると思いますが、やはりある程度の数の人々が、「渡る」という明確な意思をもって海に漕ぎ出したということだと思うのです。

石部　その「意思」に思いをはせると面白いですね。ありがとうございました。

放送後記

二〇一六年のトライでは失敗したが、二〇一九年七月に国立科学博物館のチームが丸木舟を用いて、台湾から与那国島までの航海に成功した。このチームは、当時に出来るだけ近い形を目指して、男女五人が漕ぎ手となり、時計やコンパスを持たず、エンジン付きの伴走船からも情報を得ないで航行した。七月七日、台湾の烏石鼻（ウーシーピー）を出た丸木舟は、四五時間かけて二二五キロを漕ぎ渡り、黒潮の急流を越えて与那国島の浜辺に到着した。丸木舟の建造には直径一メートルの杉を利用した。ただし、これまで日本で発見されている丸木舟の実物は最も古いものでも七〇〇〇年前であり、旧石器人がどのような船を用いたかは今後の研究課題である。

コクゾウムシと大豆の古代史

（二〇一六年四月一二日放送）

縄文土器の中から見つかるもの

石部　二〇〇七年七月に縄文中期の土器から大豆の痕跡が見つかったというお話をうかがいました。偶然ではなく、意識的に入れたとうかがったように記憶していますが。

椎名　それは、北杜市長坂町の山梨県酪農試験場の中にある酒呑場遺跡で発見された土器です。

石部　そうでした、そこで見つかった土器でした。

椎名　ここで発見された縄文中期土器の、縁の部分の蛇の形をした装飾の中に、大豆そのものではなく、長円形の空洞が発見されたのです。これを特殊なシリコンで型取りして細かに調べてみたところ、栽培種の大豆であることが判明したというのです。

石部　その空洞は、偶然に見つかったというお話でしたね。

椎名　私が山梨県考古学協会のメンバーから聞いた内部情報によると、県の埋文センターの職員がふと土器にさわったら、装飾の部分がポロっとこわれて、そこに空洞があったという、一種の偶然の発見だったようです。

石部　それは面白いお話ですね。

椎名　しかも、この大豆は野生ではなく、栽培種であることが確認されています。そこで、この大豆の発見は、それまで、今から三五〇〇年前頃とされていた日本列島における大豆栽培の可能性を、約一〇〇〇年遡らせるもので、この点でも注目されたんです。さらに、この土器を特殊なエックス線検査法で調べてみたら、壊れていない他の装飾の中にも大豆の存在を示す空洞が見つかったのです。だからこの大豆は、土器作りの際にまぎれこんだのではなく、意図的に入れたということになります。なぜ入れたかについては、後でお話しすることにしましょう。

石部　はい、縄文人が意図的に豆などを土器の中に入れることがあったということを覚えておいて、後の話を楽しみに伺います。

コクゾウムシが湧いてくる？

椎名　土器から見つかるものの一つに、コクゾウムシの圧痕《あっこん》というのがあります。土器の表面に虫の姿がへこみとして残っているものです。県内では、都留市の中谷《なかや》遺跡から出土した縄文後期の土器からこれが見つかっています。コクゾウムシといっても、最近は米などに混入していることが少なくなって、若い世代では知らない方も多いでしょうね。

石部　私も「若い世代」ですが（笑）、知っています。米櫃《こめびつ》の中の米粒に一つずつ卵を産むんですよね。

椎名　ええ、小さな甲虫なんです。昔は米櫃の米に混入して困ったものでした。この虫はお話のように、穀物の粒に一個の卵を産みつけます。かえった幼虫は米粒などの中で幼虫時代をすごして、やがて成虫となって粒の外に出てきます。幼虫は米粒と同じ色ですが、成虫の姿は黒いので、気づかずに貯蔵していると、ある日三ミリほどの黒い虫がまるで湧いて出たように沢山発生して、ビックリすることになるんです。

石部　なんか、黒い粉のように見えた記憶があります。

椎名　コクゾウムシの仲間の痕跡は、いろいろな場所から見つかります。土器の圧痕もその一つですが、それ以外に、ゴミ捨て場の跡など水分が多くて酸化されにくい環境があると、そこでは圧痕ではなく、小さな遺骸がそのまま見つかることがあります。あるいは、なんらかの理由で焼かれて炭化した形で残ることもあります。面白いのは、穀物に混じったコクゾウムシを人間が知らずに食べて、それが人間の身体を通過して、排泄物の中に混じって発見されることがあるんです。

石部　そんなことが、何千年も前の遺跡から分かるんですね。

椎名　弥生時代のコクゾウムシの完全な遺骸の唯一の発見例は、大阪府の池上曽根遺跡なんですが、ここでも、トイレとしても利用された環濠から見つかったんです。小さいけれど甲虫の一種ですから、残りやすいのです。

石部　ああ、確かに殻が固いでしょうからね。

椎名　二〇年ほど前に福岡市の舞鶴公園にあった平和台球場が廃止されて解体されました。実は、ここは平安時代の迎賓館であった鴻臚館の跡に建設されていたので、そこを発掘していたのです。私も九州での仕事のついでに、その発掘現場を見に行ったことがあります。ここではトイレの跡が確認されて、しかも、残留脂肪酸分析をしてみたら、男女が別のトイレを使っていたことが分かったと説明されたのを記憶していま す。

石部　そういうことが、残っている脂肪酸の分析で分かるんですね。

椎名　このトイレ跡からもコクゾウムシの遺体が発見されました。これも、当初は人間の身体を通り抜けたものだと解釈されていたんですが、遺跡から発見される昆虫遺体の研究をしている熊本大学の小畑弘己《ひろき》さんがトイレ付近の土壌を細かに調べたところ、一三〇点以上の遺骸を発見したんです。これはあまりに多すぎるということで、コクゾウムシがついてしまった穀類をそこに棄てた結果だと解釈されています。

コクゾウムシは縄文時代からいた

椎名　コクゾウムシといえば米につく米食い虫ということで、大陸から稲が渡来するときに一緒に混じってやってきたと考えられやすいですよね。

石部　たしかに、そうですね。

椎名　実はこの虫は、穀類だけに寄生するのではなくて、種類によっては豆類などにも寄生します。

石部　はい、そういえば、栗についているのも見たことがあります。

椎名　最近の研究では、豆や栗、ドングリなどに棲みついていたのが、人間の食物が変化する過程で、穀類に棲みつくように変異してきたらしいことが分って来たんです。この研究結果を前提に探してみると、縄文土器にもかなりの確率でコクゾウムシの圧痕が発見されるようになったわけです。有名な青森県の三内丸山遺跡は、縄文時代前期の中ごろから中期末までにわたる遺跡ですが、この遺跡でかなりの数のコクゾウムシの遺骸が発見され、土器にも圧痕として残っています。発見されたコクゾウムシは、全体として米につく虫よりは大ぶりで、豆やドングリについたものだと考えられています。

石部　縄文前期中頃というと、どれくらい前ですか。

椎名　縄文前期は、今から七〇〇〇年前から五五〇〇年前までと考えられています。だから、おおまかに言えば、今から六〇〇〇年ほど前あたりです。でも、それよりももっと古い時代の遺跡からもコクゾウムシの痕跡が発見されています。鹿児島県種子島の三本松遺跡から出た土器片にも残っていました。この遺跡は、縄文時代早期前半というから、およそ一万年前のものということになります。これは、現在のところ、世界最古のコクゾウムシ確認例ということになるようです。コクゾウムシがいたということは、人の集めた何らかの食物（植物）に付いてきたということです。

石部　人が昔何を食べていたかを探る手がかりになるわけですね。

紛れ込んだのか意図的か

椎名　縄文土器にはこれ以外に、縄文人が栽培したり、採集したりして食糧にしていた、エゴマ、エノコログサ、タデ科の果実など、さまざまな圧痕が見つかっていて、さらに、山梨県埋文センターで行ったような特殊なエックス線調査で調べると、土器の中にもこうした植物の種子が入っていることが分りました。この結果からまず考えられるのは、土器作りのなんらかの段階でこうしたものが偶然に紛れ込んだのかなということです。そして驚くことに、土器内部に混入しているものの中にはコクゾウムシもかなりあるということです。

石部　そんな小さな粒が入っていることがどうして分かるんですか。

椎名　それは、走査型電子顕微鏡などの科学的手法を駆使すればわかります。これまで縄文土器作りは、竪穴住居の外の屋外空間で行われてきたと考えられていましたが、こうした結果を見ると、むしろ屋内で行われていた可能性が強いようです。

石部　穀物などが貯蔵されていた場所の近くということですね。

椎名　そうすると、縄文人は案外無頓着に、食物などが残った台の上で土器の整形をしていたことになります。縄文人は片づけが下手だったということになるのですが、実は、そうではない、偶然の混入ではないようです。

石部　ということは、意図的に入れたということですか。

椎名　そのようです。例えば富山県小竹《おだけ》遺跡から出土した縄文時代前期の深鉢の大きな破片をエックス線検査したところ、エゴマ五〇〇点以上が入っていることが判ったのです。これが完形の深鉢全体に混入されていたものと想定すると、その量は、両手に軽く一杯ほどにあたります。つまり、意図的に混入させたとしか考えられないのです。

混入させた目的

石部　そうなると、混入させた目的が問題になりますね。

椎名　たしかに、土器作りの過程で強度を増すために籾殻などを混入することはあるんですが、その場合には壊れ易い特定の部位にだけに使います。ところが、この土器では、エゴマをそのまま全体にわたって混入しているので、これとは全く別の目的、例えば、食糧に宿る命に願いを込める祭祀的目的ではないかと考えられているんですね。

石部　ああ、なるほど、そういうことですか。

椎名　そうすると、最初にお話しした県埋文センターの蛇型装飾の中の大豆も、同じような祭祀目的で入れた、大豆の命に願いを込めたと考えるのが正解ではないでしょうか。

石部　完成後の土器が大豆のような食物で満たされますようにという願いでしょうか。

椎名　そうでしょうね。まあ、多少は壊れ易くなるのを覚悟で、縄文人が命の象徴と考えていた蛇の装飾の中に入れて豊穣を願ったのではないかと推定されます。

石部　そうなると、虫はどう説明するのでしょう。

椎名　それも、紛れ込むだけではなく、意図的な場合が少なくないようです。その理由については、「おいしいドングリや栗を食べて多くの子孫を残す虫にあやかりたい」という説と、これとは正反対に、「貴重な食糧を食べてしまう虫が憎らしいから、土器に封じ込めて焼き殺したのではないか」という両説があるんです。どちらが正解かは、お聴きの皆様のご判断に任せることにしましょう。

石部　仲間を練り込んでおけば、これには虫が来ないだろうというのは？（笑）

椎名　なるほど、それも一つの考え方ですかね（笑）。

戦国時代の終わりと庶民

（二〇一四年九月一六日放送）

戦国時代の日本は殺伐で荒々しい世界

石部 先生は大河ドラマの「軍師官兵衛」をご覧になっているそうですね。より面白く観る視点がありましたら、教えて下さい。

椎名 このドラマでは、四国の平定が終わった段階で、九州の戦国大名に対して「天下惣《てんかそう》無事《ぶじ》」という指令が関白秀吉から出されましたね。これは歴史的事実で、一五八五年のことです。この二年後には関東や奥州（東北地方）に向けても「天下惣無事」が指令されて、小田原の北条征伐の口実になり、伊達政宗が秀吉の軍門に下る理由にもなったのです。歴史ドラマでは、このように戦国大名同士の戦闘を止めさせるという面だけが表に出ているのですが、実はこの「惣無事」という言葉の背景には、戦国時代の日本社会が怖しく殺伐としていて、荒々しい世界だったことがあるんです。こうした社会のあり方を変えることに、例えば織田信長の「天下布武《てんかふぶ》」とか、秀吉の「惣無事」という標語（スローガン）の一つの狙いがあったんです。

石部　「殺伐としていて荒々しい世界だった」というのは具体的にはどんなことですか。

椎名　例を挙げると、織田信長を本能寺に急襲していったんは天下をとった明智光秀は、秀吉の「中国大返し」の戦術であっという間に戦いに敗れて、坂本城を目指して逃げ延びる間に、落ち武者狩りの農民に竹槍で殺されるわけです。この「落ち武者狩り」というのは、当時の戦闘に必ず伴った現象です。歴史ドラマでは、戦国大名同士の戦闘しか描きませんが、その周辺では、落ち武者狩りはもちろんのこと、敗北した領域の村を勝った軍勢やこれに味方した農民たちが襲って、金品や農作物を略奪するとか、女性を襲うとか、さらには村人を連れ去るなどの行為が行われたんです。

捕らえた女性や子供は人身売買された

石部　連れ去ってどうするのでしょうか？

椎名　どうするかというと、直接に自分の下人下女として使役することもあったとは思いますが、多くは売り飛ばされました。人身売買です。場合によっては勝利者である領主がこれを公認して、売買の市が立ったと伝えられています。売られたのは主に女性と子どもでした。成人男子は戦場で殺されることも多かったし、売り物として扱いにくかったんです。抵抗しますから。なかには、外国船や海外貿易に従事する日本船で海外へ売り飛ばされた者もいました。ポルトガル船は最初からこの奴隷売買に関わっていたようです。一五七〇年にポルトガル国王が、日本人の奴隷貿易を禁ずる勅令を出しています。これは、奴隷売買があったことの裏付けのようなものです。この禁令になんの効果もなかったことはいうまでもありません。布教にきたイエズス会関係者の一部も、これに手を貸していたという説もあります。

石部　本当だとしたら、ひどい話ですね。

椎名　まったくです。天正遣欧少年使節というのがありましたよね。その使節の一人である千々石《ちじわ》ミゲルは、ヨーロッパに赴く途上で寄ったマカオ、マラッカ、ゴアなどの港で日本人奴隷が売られているのをみて、同胞を牛馬のように安い値段で売り飛ばす行為に憤りの言葉を残しています。でも、それが当時の現実でした。

石部　憤るのはよく分かりますね。子供の頃「安寿と厨子王」の物語にとても胸を痛めた思い出があるのですが、ああいう人の売り買いが実際にあったんですね。

掠奪行為は日常的経済活動

椎名　こういう、人身売買というような行為よりも、日常的には、収穫時期に作物に放火するとか、収穫が終わったばかりの作物を奪い去るような行為の方が、ダメージが大きかったのです。

石部　え？　なんのためにそんなことをするのですか？

椎名　これはいやがらせ目的もあったのですが、多くは、対立する陣営間で、領民の心を領主から引き離すという目的があったとされます。さらに、戦乱時でなくても、略奪行為があったことを、当時日本に来ていた外国人の記録から知ることができます。例えば、修道士アルメイダの一行は、有明海をわたって肥前大村に行く際に「海賊」に襲われて、着ているものから船の帆や櫂、錨など、あらゆるものを奪い取られました。これは、有明海沿岸住民が一種の日常的経済活動としてやっていることらしいと書いてあります。

石部　それが「日常的活動」だったんですね。

椎名　有名なルイス・フロイスは、秀吉の時代に領主が国替えになるときに、支配の空白期が生ずると、略奪や破壊行為が行われるのが常だったと書いています。小早川氏が伊予から筑前に移された際の空白期に、街の住民は空になった領主の屋敷を襲って、残されている品物などをことごとく略奪しました。フロイスらが平戸に移るために道後の教会を去る前に、住民はここにも現れてさまざまな物を略奪しました。司祭達が出る前に倉庫が襲われ、小麦や米、家具や戸板まで外して持ち去ったといいます。今でも開発途上国で争乱が起こると、電器店などを群集が襲って略奪をしている映像を見ますよね。当時の日本社会もこれと同じ状態だったのでしょう。

石部　日本人は混乱状態でも掠奪をしないと世界から褒められていますが、時代によっては、日本人も同じことをしていたのですね。

農民たちも自衛の戦力を持っていた

石部　戦いに負けたら負けた方はどんなに悲惨かということを、庶民はどの程度分かっていたのですか？

椎名　それは、本当に日常的恐怖だったはずです。だから当時の農山漁村は、当然のように自衛戦力を持っていました。歴史ドラマでは常備軍同士だけが戦っているように描かれますが、時代が下れば下るほど雑兵や雑役人足の割合は増えていくわけです。例えば、秀吉の戦では、備中高松城の水攻めのように、膨大な土木工事が必要ですよね。小田原の北条攻めの一夜城も同じです。こうした作業に労働力を供給したのは、当時の農山漁村なんです。

石部　生業以外に、かなり労力を提供していたんですね。

椎名　自衛力を持たざるをえなかったのは、境界争いや水利・漁業権をめぐる争いを実力で解決する必要があったからなんです。領主がしっかりと領内を統制できている場合はいいけれど、そういう領主は稀でした。むしろ、共同体の持分である入会山や利水権、漁獲の権利は、村の指導者の下に組織された自衛戦力で確保するのが当然のことでした。だから、場合によっては利害を共にする近隣の村を巻き込んで、大規模な争乱に発展したわけです。

椎名　そういう意味でも「戦国」だったんですね？

石部　戦国時代というのは、そういう意味でも「戦国」だったんですね？

椎名　そうです。秀吉の「惣無事」は、とりあえずは、大名間の戦闘行為禁止令であったのだけれど、同じ時期に出された「喧嘩禁止令」では、こうした村同士の実力による争いを処罰の対象にしました。秀吉配下の大名もそれぞれの領地で同じような禁令をだしました。もちろん、一片の命令で、それまでの殺伐で荒々しい人間関係が治まったわけではありません。秀吉が行った「刀狩り」は、この「喧嘩禁止令」と一体の政策で、兵農分離ということのほかに、さまざまなレベルの争いを平和的に解決しなさいという方針を天下に示す意味をもっています。だから、あらゆる武器を取り上げたのではなくて、槍や鉄砲など、狩猟や害獣退治に必要なものは村に残しておきました。

石部　それで庶民同士の争いは収まったんですか。

椎名　当時の庶民の中には、これで日常的な略奪や放火などがなくなると受けとめて、刀狩りを支持して積極的に協力する者も少なくなかったようです。

石部　私なら、身の安全のために、刀を一、二本残しておきます（笑）。

椎名　どうやら当時も、石部さんタイプが多かったようです（笑）。長い期間にわたる人間の習性はなかなか変わらず、徳川時代になってもしばらくは庶民が実力で争うことがあったようです。大坂冬の陣、夏の陣の際には、大坂の街で略奪や放火が起きています。一六三三年に出羽の国（山形県）で起きた八千石の旗本酒井氏の不法に対する農民一揆では、酒井氏が改易になったほか、なんと一揆の指導者三八名が打ち首になっています。これほどの犠牲者が出ているのは、争いがかなり激烈だったことを物語っていますね。

百年かかった平和状態の実現

椎名　元禄時代（一六八八〜一七〇四年）になるころに、ようやく和を尊ぶ社会のあり方が定着していったようです。

石部　平和という状態に慣れるのに少し時間がかかったということでしょうね。

椎名　約一世紀かかっています。この時期から一五〇〇年以上、基本的には穏やかな時代が続きました。これには、さまざまな内的抑圧も伴うのですが、とりあえずは「穏やかな時代」が続いたんです。明治初期に日本にやってきた女性旅行家イザベラ・バードは、日本人の従者一人を伴って江戸時代のままの日本の奥地（主に東北・北海道）を長い間旅していています。彼女を迎えたのは初めての外国人を物珍しげに見る善意の人々でした。旅の記録である『日本奥地紀行』には、「世界中で日本ほど婦人が危険にも無作法な目にもあわず、まったく安全に旅行できる国はないと信じている」と書かれています。

石部　危険なことがないというのは、教育の結果ですか、それとも習慣でしょうか。

椎名　どちらかと言えば、習慣でしょうね。地域社会で治安を維持しているというか、荒々しいことをやるのは恥ずかしいことだという雰囲気のようなものがあったということではないですか。

石部　なるほど、「恥」という感覚ですね。

椎名　そういうことでしょうね。最近のニュースでは、日本でも世界各国と同じように危険な面があることが強調されますが、基本的には、日本は世界で稀な治安のよい国ですね。その基礎は、この徳川時代に重視された和の精神にあると思います。この遺産というのは、重要だと思いますが。

石部　その和の精神というのが、地域社会が育んできたものだとすると、今の日本社会ではどうでしょうか？

椎名　大都市ではそれが生きませんよね。だから、地域のコミュニティを生かしておくことが大切ではないでしょうか。

石部　和の精神という日本人の特性、先人からの遺産を守っていくことが大切だということですね。

お茶の世界史

（二〇一六年二月二三日放送）

石部　「お茶する」という言葉は、いまや普通に使われていますね。比較的新しい言葉だそうですね。

椎名　コーヒーを飲むときでもそう言うようですね。

石部　実際に緑茶を飲むかどうかにかかわらず、ちょっと一息入れましょうかという時の言葉でしょうね。

椎名　それだけ、歴史的にはお茶との付き合いが長いということでしょうね。

お茶の原産地は中国南部付近

椎名　世界中で飲用されているお茶は、もともと中国南部雲南省からインド・アッサム州あたりが原産の、椿に近い常緑で背が低い木の葉から作られます。学名はカメリア・シネンシスですが、「カメリア」は椿のこと、「シネンシス」というのは「中国の」という意味です。英語でチャイナ、フランス語だとシーヌですから。

石部　「カメリア」というブランドやお店がありますが、そういうことだったんですね。

椎名　お茶はこの葉っぱから作られます。同じ雲南省の一部には背が高くなる変種もあって、この場合茶摘みは木に登って行うことになります。この茶摘みを、猿を訓練してやらせたという伝説もありますが、真偽の程は分りません。戦時中の日本では、お茶の葉がないのであれこれ苦労して野草を代用にしたようです。今でも、麦茶、ソバ茶、ハーブティーなどがありますが、これらは代用茶で、お茶の葉を使っていません。

石部　そう、確かに、複数の草や実をブレンドしたものなど、数限りなくありますね。

椎名　これに対して、緑茶も紅茶もウーロン茶も、基本的にはカメリア・シネンシスの葉を使っています。

石部　同じ葉でも出来上がったものの違いは大きいですね。

お茶を飲料として開発したのは中国

椎名　世界で最初にお茶を飲料として開発したのは中国です。その歴史は紀元前にさかのぼるとされます。最初は、現在の日本茶と同じように緑茶でしたが、シルクロードなどを通じて遠くの世界まで運ばれるようになると、風味を長持ちさせるために、茶葉を発酵させる技術が開発されて、後のウーロン茶やプーアル茶、そして西洋で好まれている紅茶に発展していきました。私たちはこれを「紅」の茶と呼びますが、英語では「ブラック・ティー」つまり、「黒い」お茶ということになります。製品としての色が黒いからでしょう。

石部　最初は、葉っぱを何とか長持ちさせるためだったんですね。

椎名　そうです。最初は薬、とくに解毒薬として飲まれたという説があります。だから「お茶を一服」という言い方にはこの由来が反映しているといいます。

石部　薬を「服用する」と言う時の「服」ですね。

椎名　中国でお茶が嗜好品として愛用されるようになったのは宋時代の紀元後一〇〇〇年

頃だといいます。

日本にやってきたお茶

椎名　日本にお茶が入ったのは、奈良時代とされます。製品として遣唐使の船で運ばれるものだけに、高級品で一般庶民には縁が無いものでした。

石部　超高級品ですね。輸入で、しかも遣唐使の船で運ばれたんですから。

椎名　最澄や空海らの遣唐使と同行して帰国した者が、お茶の種を持ち帰ったとされるのですが、日本で茶が本格的に栽培されたのは、鎌倉初期に帰国した栄西《えいさい》禅師が持ち帰った種や苗木を現在の佐賀県の背振山《せぶりさん》に植えたのが始まりで、さらに京都の明恵《みょうえ》上人が宇治に蒔いて、ここから全国にお茶の栽培が拡大することになりました。

石部　佐賀と宇治ですか。宇治は今でも静岡、狭山と並ぶお茶の名産地ですね。

椎名　たしかに。「宇治金時」というと、お茶をかき氷にかける定番の商品です。栄西は一一九一年に『喫茶養生記』を著してお茶の文化の普及に努めましたが、この「養生記」という題名からも分るように、基本的にはこの当時まで、お茶は薬でした。実際に栄西は、鎌倉幕府三代将軍実朝の病気をお茶で治したとされています。なお、この当時の日本では、お茶といえば抹茶でした。

石部　今でも「喫茶店」と言いますが、この「喫茶」というのはこの頃からの言葉ですね。

椎名　古い言葉のようです。その後、お茶は健康飲料ではなく嗜好品となって、戦国時代後期には、有力な戦国大名が茶道《ちゃどう》に熱中します。戦争で武功を立てた褒美として、領地や金銀よりも、茶道具の逸品を求めるようになりました。松永久秀は織田信長軍に攻められて敗北した際に、信長がかねて欲しがっていた「平蜘蛛」と呼ばれる茶釜と共に爆死したと伝えられています。また、信長の石山本願寺攻めで信長を裏切った荒木村重は、その後信長軍に包囲されると、中国の官窯で作られた唐草文染付けの茶碗一個だけを持って、妻子や部下を城に残したまま秘かに逃亡しました。

石部　この時の荒木村重の心理を考えて見たことがあるんですが、この茶碗を持っていることが、秀吉よりも信長よりも上という証だったんでしょうね。

椎名　その当時の上級武士の価値観がそうであったということでしょう。現在の煎茶にあたるものが中国から日本にやって来たのは十六世紀で、中国では「散茶」と呼ばれていましたが、日本ではこれが「煎茶」と呼ばれて、抹茶よりも庶民的人気を得て、江戸時代に飲用の習慣が広まりました。しかし、これについても、さすが日本ですね、製法に工夫を凝らして高級品が作られるようになりました。玉露は十九世紀になって製法が確立したものです。簡単に説明すると、お茶の旨み成分はテアニンなどのアミノ酸ですが、テアニンに日光が当たると渋み成分のタンニンに変わってしまいます。そこで玉露を作る茶の木に、収穫二週間前からヨシズなどで覆いをして茶葉を生育させます。収穫した葉を蒸して、これを針のように細くなるように手もみすると玉露が出来るのだそうです。このような工夫で日本独自の進化も遂げていったわけです。

西へ進出したお茶とその終点

椎名　やがて、中国南部から西へ、チベットを経由してネパールやインドへお茶を運ぶルートが開発されました。チベットやネパールでは冷涼で茶の木が育たないので、お茶（紅茶にあたるもの）を蒸してレンガ状あるいは円盤状に干し固めた「磚茶《たんちゃ》」の形で運ばれました。

石部　レンガみたいになったお茶をテレビで見たことがあります。

椎名　このチベットにお茶が入ったのは七世紀だと言われます。チベットやネパールでは、バター茶というかなり変わった飲み方をします。

石部　そうそう、それを見たんです。バター茶です。

椎名　磚茶をけずって得た茶葉を五分から一〇分煮詰めます。これを漉したものを専用の攪拌機に注いで、ヤクの乳とバター、塩を加えて棒で勢いよく攪拌します。これを熱いまま小さなカップで飲むわけです。お茶としてはかなり高濃度なのですが、野菜があまりないこの地域では、その代わりの役割を持っているようです。

石部　「抹茶ラテ」に近いのかも知れませんね。

椎名　東南アジアでもお茶が早い時期から飲用されました。緑茶が多かったようです。ベトナム、タイなどでは北部の山地にお茶が自生しますから、比較的早い時期に産業化したと言われています。

　さらにお茶は、らくだの背中に乗せられ、シルクロードを通って西域に運ばれました。その進出の終点はアフガニスタン北部あたりで、ここまでの交易路沿いには、拠点にかならずチャイハナ（喫茶店）があって、そこではさまざまなお茶が提供されました。なぜ、このあたりでお茶の西方進出が止まったかというと、九世紀にアラビア経由でコーヒーが入ったからなんです。だから、ヨーロッパにお茶が入って来るのは十七世紀だとされます。

石部　そのあたりが分岐点だったということですね。

西欧のお茶の文化は十七世紀以降のこと

椎名　西欧で珍重されている紅茶は、やはり中国産が船で運ばれたもので、十七世紀の初め頃に最初にこれを運んだのはオランダの貿易船です。オランダ船は中国茶と日本茶の両方をヨーロッパに運んでいますが、これと同時に、中国と日本の陶磁器を運びました。名器で銘茶を飲むというハイレベルな文化として、お茶を西欧に伝えたんです。

石部　考えて見ると、日本で高級な茶碗で良いお茶を飲むのと同じなんですね。飲み物としてだけでなく、淹れる過程や飲む場、時間、そしてコミュニケーションなど、全体を含めた文化が運ばれたんですね。

椎名　それを、オランダの船が伝えたということです。いま、紅茶文化の中心地となっているイギリスに最初に入ったのは十七世紀半ばでした。もちろん、この場合も嗜好品ではなく、万病に効く「東洋の秘薬」として登場しました。これをイギリスの貴族社会に広げたのは、一六六二年にチャールズ二世に嫁いだポルトガルの王女キャサリン（カタリナ）でした。中国からポルトガル船で運ばれる中国茶と、これも当時貴重品だった砂糖を大量に持参して、貴重品のお茶（紅茶）に砂糖をたっぷり入れて飲んで見せて、来客をこれでもてなしました。

石部 これは、大きな影響をもったでしょうね。

椎名 これによって、イギリスの貴族社会に紅茶文化が普及していったということです。十七世紀末から十九世紀初めまで、イギリスの東インド会社は、お茶の交易で大きな収益をあげていました。

中国産のお茶はイギリスの新天地の現在のアメリカにも運ばれて、入植者にもお茶を飲む文化が定着しました。ところが、このお茶にイギリスが重税をかけて儲けようとしたことから、例の「ボストン・ティーパーティー」という、イギリス船から積荷のお茶を港に投棄するという事件となり、独立戦争につながるわけです。

石部 そうか、独立戦争のきっかけもお茶でしたね。

椎名 十九世紀になって、イギリスが植民地にしていたセイロン（現在のスリランカ）でお茶の栽培に成功します。そうするとイギリスでは、紅茶文化が一般家庭まで普及することになりました。だから、ドラマ「相棒」の杉下右京はイギリス仕込みの紅茶の蘊蓄を語っていますが、これはせいぜい二〇〇年以内のことです。八〇〇年を超える日本のお茶の歴史から見れば、かなり新しい伝統だということになります。

石部 なるほど、今度右京さんをそんな目で見てみます（笑）。ありがとうございました。

塩の道

（二〇一八年八月一四日放送）

石部　今年の夏は暑いですね。最近は塩分の摂り過ぎに注意と言われますが、夏だけは塩分を適度に補給した方がいいそうですね。

椎名　人間をふくむ陸上動物も、遠い祖先はすべて海から発生したわけで、細胞のバランスには塩分が不可欠です。赤ちゃんが胎内で生きている羊水にも塩分が含まれています。塩分がなければ、人間は生きていけません。ただし、いまおっしゃったように、摂り過ぎには気をつけなければいけないのですが。

塩の道が出来るまで

椎名　人間が全く自然の一部として、さまざまな食物を摂取していた段階では、毎日食べている自然の動植物中に含まれる塩分で基本的にはなんとかなっていたようです。

石部　海から離れて住んでいても足りていたのですか？

椎名　そのようです。食べ物の偏りで塩分補給が必要と身体が感じたときには、一部の草食動物がするように、土壌の中で塩分が含まれているものを何とか探して摂取するということもしたはずです。内陸部でも、岩塩はありませんが、塩泉というのはあります。山梨でも、例えば白州には塩泉があって、見に行ったことがあります。

石部　へ〜え、山梨にも塩泉があるんですね。

椎名　やがて人が農業を開始すると、何かの形で塩分を補う必要が強まりました。ただし、日本列島の場合で言えば、縄文時代に定住生活をはじめて、自然界で育つ根菜類を食べたり、集落の周囲に栗の林などを育てて炭水化物を多く食べたりするようになった本格的農業の前の段階で、塩分を補うようになりました。日本には、白州のような塩水が出る塩泉はあるんですが、岩塩がとれる場所はありません。でも、幸いなことに列島周囲には海水という塩の補給源があります。そこで、海岸まで行って、海藻などを海水に浸して乾かし、これを繰り返すことで塩辛い海藻、あるいはこれを焼いたもの＝藻塩にして持ち帰るという方法がとられたようなんです。

石部　「焼くや藻塩の身もこがれつつ」という和歌*がありますが、本当に焼いたんですね。

椎名　海藻に塩分を染み込ませて、それを焼いたんです。

石部　ものすごく塩辛い海藻を焼いたわけですね。

椎名　そうです。やがて、海水を土器に入れて煮沸して粗塩を作る技術が、縄文晩期、いまから三〇〇〇年前あたりに開発されました。こうなると、海辺の住人はこれを専業で作るようになって、山梨などの山の民は、大豆、小豆、栗、乾燥させた椎茸などを背負って塩の生産地に行き、これらと交換で塩や干し魚を持ち帰るという交易が日常化します。この有史前の交易路が最初の「塩の道」です。

塩の運搬方法の確立

椎名　山の民は交易品として、不思議なことに、木を焼いた後の灰も持っていったといいます。灰が何の役に立つかと疑問に思われるかもしれませんが、灰は土壌改良の肥料になるほか、あく抜きや麻布をさらすのにも使われました。近世になって木綿が普及するまで、日本人の衣料は基本的に麻で作られていました。一俵に五斗入れた灰で、二斗俵の塩が一俵手に入ったといいます。

石部　今でもワラビのあくは灰で抜きますね。灰の用途はいろいろとあったんですね。

椎名　山梨や長野など中部高地では、塩は太平洋側あるいは日本海側から長い道のりを運ぶことになります。当然ながら、最初は人が背中に背負って運んだのだろうと思います。やがて、商業的な交易あるいは政治指導者の意向で相当量を運ぶ場合には、馬あるいは牛の背中に乗せて運ぶようになります。塩が大量に運ばれた背景には、家庭料理用だけでなく、漬物の生産、水産物の加工、家畜のえさ、染め物の色止めというような工業用、さらには、いま、大相撲で力士が仕切り前に塩を撒いているように、お浄めにも使われたことが挙げられます。

石部　たしかに、「お浄めの塩」って言いますよね。

椎名　俵で運ぶようになるのはかなり後で、それまでは製塩土器というのがあって、それに入れたまま運びました。なぜかというと、塩は空気中の水分を吸収するとベトベトになりますよね。これを防止する技術があってはじめて俵詰めでの輸送が可能になるわけです。

石部　なるほど。塩を運ぶのにも技術が必要なんですね。

椎名　大量の塩を運ぶ前提としては、塩の生産量が増える必要があるわけで、それを可能にしたのは鉄の釜です。塩釜という地名が宮城県にあります。

石部　仙台の東の海辺ですね。

椎名　塩釜神社は、人に製塩を教えた塩土老翁神《しおつちおじのかみ》が祭神となっていて、塩釜神社の末社である御釜神社には塩釜の地名の由来とされる鉄釜が境内に安置されているそうです。ここでは毎年七月に、塩釜神社例大祭で供え物を捧げるための特殊神事である「藻塩焼き神事」が行われます。これは、当時の先進開拓地であった東北地方でも、塩が重要だったことを物語っています。

「敵に塩を送る」の裏側

椎名　塩というと戦国時代に有名な話がありますね？

石部　「敵に塩を送る」という話ですか？

椎名　そうですね。今川氏とその同盟者である北条氏によって太平洋側からの塩の道を塞がれた甲州の武田信玄を助けるために、敵であった上杉謙信が塩を送ったという話がります。これは「敵に塩を送る」という逸話となっていて、新潟県には「謙信公義の塩」という名産品があるそうです（笑）。そして、これを使った、「義の塩　塩豆大福」、「謙信公義の塩　塩ようかん」などが上越市のお土産になっています。

石部　あら、おいしそう（笑）。なるほど、名産品になっていますか。

椎名　ただし、上杉謙信が武田氏の救援のために塩を送ったという話は、どうもまゆつばのようなんです。話の元は、これより二〇年程前、松本を拠点としていた小笠原氏が武田氏との紛争で太平洋からの塩の道を塞がれたときに、日本海側の上杉氏から塩を送ってもらったという故事があって、これが元になっているようです。

石部　むしろ、武田氏は塩の道を絶ったんですね。

椎名　そのようです。この話で、現在の松本・塩尻あたりが、中部高地の塩の分水嶺、つまり、南北の塩の道の出会う場所であったあったことが分かるわけです。塩尻という地名は、塩の道の終着点を意味するというのが有力説で、ここだけでなく、信州上田（小県郡塩尻村）、新潟に近い栄村などにも同じ地名があったということです。

中央高地への塩の道

椎名　太平洋側から甲州に至る塩の道は、静岡県の海岸から、現在の中道往還を通るのが初期のルートだったはずです。その証拠に、甲斐国最大の前期古墳である銚子塚古墳がそのルート上にあります。やがて、東海道が政治的・軍事的理由で整備されると、主要ルートは御殿場経由に変わります。甲府盆地に入ったあとは、西郡《にしごおり》（甲府盆地内の西側）を経由して現在の国道二〇号線、あるいは、それより少し東側の棒道のあたりを経由して信濃の中心部に入っていったようです。

石部　信州への塩の道は、他にはなかったのですか。

椎名　太平洋岸から信州への塩の道にはもう一つ、秋葉街道と呼ばれるルートがありました。これは浜松あたりから、青崩峠（浜松市天竜区）、地蔵峠（飯田市）、中沢峠（駒ケ根市）、分杭峠（大鹿村）、杖突峠（茅野市と伊那市の境あたり）、大門峠（茅野市）と、六つの峠を越える難路でした。とくに青崩峠から分杭峠あたりまでは、中央構造線という断層地帯を行くために、しばしば道が通れなくなることがあったようです。

石部　そう伺うと、信州へは日本海側からの方が簡単のような気がしますが。

椎名　当然、日本海側からの道もありました。道は険しくないのですが、距離が案外長いのです。糸魚川を出発点として、現在の小谷村にあたる大網・千国、白馬村にあたる塩島新田・飯森、大町市にあたる海ノ口・大町・池田、安曇野市にあたる穂高・成相新田、そして松本に至り、終点は塩尻になります。これが千国街道と言われる塩の道で、参勤交代では使われない、塩の交易を中心とする街道であったといいます。

石部　その面影は今もありますか？

椎名　小谷村沓掛には、いまも牛方宿が保存されています。これは、塩を運ぶ牛を一階につなぎ、牛方は二階に泊まるという、同じ屋根の下で泊まる施設で、かつてはこの街道沿いに沢山あったといいます。千国街道の最初の宿場である糸魚川市山口には「塩の道資料館」があります。これは古い民家を移築して資料館にしたもので、ボッカ（荷運人夫）の背負子や藁で作った蓑など二一〇〇点の資料が収蔵されています。また、小谷村千国には交易を監視する番所が復元されているそうで、「塩の道」を観光に利用しているわけです。

石部　それは面白そうですね。

椎名　信濃への塩の供給路は、日本海や太平洋からのほぼ塩専用のルートだけでなくて、千葉の塩が中山道経由で運ばれるという一般ルートも存在しました。今回は中央高地へのルートを中心にお話ししましたが、西日本だと、瀬戸内海で生産される塩を船で全国に運ぶ回船ルートが存在していました。ともかく、最重要生活用品として、塩の流通は、今では考えられないほど大切にされていたようです。

石部　身体に必要というだけではない、様々な意味での生活必需品だったんですね。ありがとうございました。

＊「来ぬ人をまつほの浦の夕なぎに焼くや藻塩の身もこがれつつ」。権中納言定家（藤原定家）万葉集の「…淡路島　松帆の浦に　朝なぎに　玉藻刈りつつ　夕なぎに　藻塩焼きつつ　海人娘人（あまおとめ）…」を本歌としている。

四　ふるさと山梨をほんの少しよそ者の視点で

〜「南北問題と同じ構造があったと考えるべきです」

「大小切り騒動」にみるだましの手口

（二〇一七年七月四日放送）

石部　以前、共謀罪法案の成立のお話を伺った時に、この法案は「東京オリンピックのためのテロ対策である」という政府関係者の説明はウソだったとおっしゃいましたね。

椎名　しかも、委員会審議を省略して本会議で可決するという奇策が採用されました。これには驚きましたね。このように昔から統治者は人民を騙してきたんです。山梨で政府が人民をだました古い例として、一八七二年（明治五年）に山梨で起きた「大小切り騒動」という一揆、すなわち大衆運動の収拾の仕方をお話ししてみたいと思います。

山梨と長野の県民性の違いはどこから

椎名　山梨と長野は山岳が多いこと、そして農業を基盤としている地域だという点など、地域特性としては共通性がありそうですが、その県民性はかなり違っているように思います。長野県人には反骨の持ち主が少なくないし、すぐれた学者を輩出している。山梨県とは県の広さも人口も違っているが、それを考えあわせて比較しても、正直のところ、山梨県の方が若干見劣りするかなと思うんです。聴いている方は気を悪くするかもしれませんが。

石部　そういう面がありますでしょうか（苦笑）。

椎名　その一つの理由として、県の成り立ちの違いがありそうです。長野県は幕末段階では小さな藩がいくつかあって、これが廃藩置県でそのままいくつかの県になり、地域同士で争いながら一八七六年（明治九年）になってようやく現在の長野県になった。その後も県庁所在地を長野市にするか松本市にするかで長いこと争っていたんです。そういう地域性があるんです。

石部　ああ、そういえばそうですね。

椎名　ところが、山梨はこれからお話しする田安領騒動以外は領域に関する紛争がなくて、すんなりと甲府県となり、それが明治四年の廃藩置県で山梨県となってしまいました。もう一つ、長野県は廃藩置県の時に、元の藩の武士がそのまま知識階級として教育者や政治家、行政官となって地域を指導したんです。

石部　なるほど、藩がなくなったとはいえ、人材として、指導層として残ったんですね。

椎名　そうです。これに対して、山梨は天領で幕府から勤番士として来ていた武士たちのほとんどが江戸などに帰ってしまいます。

石部　そうか、サラリーマンだから戻ってしまったんだ。

椎名　だから、山梨は、そういう指導層が薄い中で近代化を進めることになってしまったのです。

大小切り騒動の伏線としての田安領一揆

椎名　それと、もう一つ山梨県民の意識に大きな影響をもったのが、これからお話しする大小切り騒動とその鎮圧方法です。この騒動の伏線になったのが一八六九年（明治二年）の田安領一揆でした。これは明治二年七月に旧天領が全て甲府県になったのに対して、徳川家にあった御三卿*の一つである田安領一〇三ヶ村は田安家の支配が続きました。田安領は県の東部にも西部にもありましたが、天領の方は比較的ゆったりとした支配だったのに対して、田安領ではそこに配置された代官の強権的支配に悩まされていました。このうちの東郡《ひがしごおり》（山梨市、笛吹市石和など）を中心とする領民が反発したのがこの田安領一揆でした。

石部　いつ頃から始まったのですか。

椎名　一八六九年九月初旬、太政官札、今でいう通貨の発行に伴う代官の措置に領民が反発して一町田中にあった代官所に改善を願い出ました。これが拒否されたので、九月一四日甲府の県庁に「天朝御料地」への編入を求める、つまり、後の山梨県と一体になりたいという嘆願書を出したんです。この動きがだんだんと広がって、一〇月一五日には笛吹河原に五八ヶ村の四〇〇〇人余りが集合する騒ぎになりました。

石部　これは、田安家にとっては困るけれど、中央政府にとっては都合がよかったわけですね。

椎名　そう、徳川時代の各藩が支配していた領域を早く中央政府にまとめたいという政府の狙いと合致していました。それで、この時の領民の動きは政府にとって好都合ということで、翌一八七〇年（明治三年）五月に、田安領は自発的返納という形で甲府県に編入され、村人の願いは実現したわけです。当時の中央政府と、その意を受けた甲府県の「やらせ」という裏事情がいわれています。

石部　革命などの裏には、民衆の行動に火をつけるような陰の動きがある場合がありますよね。

椎名　多分、そんなことだと思います。これが、大小切り騒動の伏線になりました。そして、この三年後の明治五年に大小切り騒動が起きるんです。

大小切りという税制とその廃止の背景

椎名　「大小切り」というのは、天領であった甲州の山梨、八代、巨摩の三郡にのみ適用されていた、農民にとって特に有利な税制だったんですね。年貢の半分以上を、収穫したお米ではなく、お米の代価に相当する貨幣で支払うものでしたが、代価の算定が特別で、結果的に農民にとってかなり有利だったわけです。

一八七二年（明治五年）に中央政府は山梨県だけ特別に有利な税制を止めて他府県なみにすることを決定しました。それまで何度かこの税制廃止を嘆願というような運動で切り抜けてきた農民は、この決定に対しても異議を唱えたのですが、八月八日に

石部　廃止の決定が県下に触れだされました。

椎名　大小切り制度廃止の背景をお話しいただけますか。

石部　当時の政府は、日本を一日でも早く近代国家として確立したいと急いでいました。殖産興業とともに富国強兵を進める明治政府が改革を急ぎ過ぎていた面があったようです。そこには他の先進国に遅れて帝国主義（＝国家の権益を最大化するためには戦争も辞さない実力次第の対外戦略）の争いに加わった日本のあせりのようなものがありました。

椎名　なるほど、そういう時代背景があったんですか。イギリスみたいになりたいと背伸びしていたんですね。

石部　当時の先進国であるイギリス、フランスそしてアメリカは、いずれも広い植民地をすでに持っていて、そこからどんどん資金を集めることで国内産業振興や軍備増強の資金にすることができたわけですね。石部さんは「シャーロック・ホームズ」の愛読者でしたね。あれには、十九世紀後半、東インド会社に投資していて、その利子で優雅な暮らしをしている人たちがでてきます。

石部　ああ、全然働いてない人たちが出てきますね。

椎名　あの人たちの優雅な暮らしの裏側には、インドやアフリカで文字通り搾取される現地の人々がいたわけです。フランスもほぼ同じやり方だった。アメリカが植民地を持つのは少し後なんですが、広い国土に開いた農園でアフリカなどから連れてきた奴隷やアイルランド、東欧、メキシコなどからの移民労働者を働かせて大きな利益を挙げていたんです。

石部　日本の場合はどうしていたんですか。

椎名　こうした搾取による資本蓄積が当面できない日本は、まず、国内の農民から搾取して、さらに、中小の資産家を没落させてその資産を国のものにしました。ここでいう「中小の資産家」というのは、例えば、村の質屋さん、その地域ではお金持ちですが、高い金利の資金が返せなくて破産するなどの事件を契機に、貧民になってしまう。そして、そこにあった資金が国のものになる。

石部　なるほど、植民地の代わりにそんなところから集めたということですね。

大小切り騒動の勃発と鎮圧

椎名 その資本蓄積の一環として、山梨の税制変更をやろうとしたのです。農民にとって有利な税制が国の一部に残っていることは見過ごせない問題でした。山梨の税制変更には県下の農民からはさまざまな反対の動きがあったんですが、とくに三年前に田安領騒動で成功した東山梨郡と石和の一部の農民六〇〇〇人余りが一八七二年八月二三日、猟銃と竹槍で武装決起して甲府に殺到したんです。

石部 成功体験があったわけですから、あの時みたいにうまくいくというイメージがまだありますよね。

椎名 田安領騒動のときには農民たちの動きは県庁にとって好都合でしたが、今回の税制変更は、そうはいかない問題だという事情を彼らは理解していなかったんです。この時点で武装兵力がほぼなかった県庁側（土肥謙蔵＝実匡《さねまさ》県令）は甲府三日町見附（旧連雀町の近く）二の堀にかかる橋の上に「願の趣聞届け候間、書面差出し可申事」（皆の要求は了解したから、それを書面で出しなさい）と大書して掲示し、路上でも同じ趣旨の黒印状を手渡したんです。「これを約束するよ」という書付です。その一方、県令は陸軍省に急報して山梨への出兵を依頼しました。一揆参加者はこれにだまされ、「約束をとったぞ」ということで喜んで村に帰りました。そのうちの一部の者は翌日に山田町《ようだまち》の若尾逸平宅を襲って商品を路上で焼き払いました。

石部　ああ、若尾邸への焼き討ちがあったそうですね。

椎名　若尾商店が襲われたのは、農民への貸付に高利をとって恨まれていたという事情があったようなんです。農民達が勝利を信じて村に帰ってから数日後の八月末に東京と静岡から軍隊が到着します。一揆参加者は九月三日に恵林寺に集められ、逮捕拘禁された者は一六〇人ほどでした。この事件審理のために甲府に山梨裁判所が特別に開設されました。そして、首謀者として山梨郡小屋敷村長小沢留兵衛、松本村名主島田富十郎、この二人は絞首刑。隼《はやぶさ》村長倉田利作は徒刑（今でいえば懲役）一〇年、ほかに徒刑三年が四人、ほかに多くの者に罰金刑が下りました。松本村というのは石和温泉駅付近で、今も島田富十郎の墓が大蔵経寺の一角にあります。

騒動の後に残ったもの

石部　とりあえず「わかった、わかった」とだました県の方には処分はなかったのですか。

椎名　とくになかったようです。ただし、県知事は交代になりました。そして、この落ち込んだ気分の県民の前に現れたのが新しい県の指導者である藤村紫朗権令（知事代理、後に、現在の知事にあたる県令となる）でした。

石部　ここに藤村紫朗がやってくるんですね。

椎名　彼はとりあえず殖産興業で県内を潤し、東京への交通路としての道路整備を進めることと教育制度を普及して教育レベルを上げることに集中して県民の心を掌握することになります。そして、敗北した山梨県民の側では、この大きな失敗体験が、少なくとも表面上はお上に逆らわないことを優先する県民性の原点になったのではないかと私は見ています。

石部　「逆らっても無駄だ」みたいな空気のことでしょうか。

椎名　そうですね。この一揆成功から、国家の軍事力によって制圧された事件の落差は、県民に著しい無力感を与えたようです。一五年後に書かれた『峡中沿革記』（望月直矢）に「一時殆ど火光を銷したる姿あり」と記されているように、県民の挫折感は本当に深かったようです。

石部 なるほど、これが山梨県の県民性に影響しているというお話ですね。ありがとうございました。

＊ 第八代将軍吉宗の三人の子どもが、田安家、清水家、一橋家となり、それ以前の紀州、尾張、水戸の徳川御三家と共に、将軍に後継ぎがない場合に将軍になる人材を提供する役割を担った。実際に、第一五代将軍慶喜は一橋家から出ている。

信玄公旗掛松《はたかけまつ》事件

（二〇一九年一〇月二九日放送）

石部　先生は公害についての授業をなさると思うのですが、「公害」という言葉は学生に通じますか。

椎名　通じないことはないんですが、歴史上の用語の一つ、歴史の授業で教えられた事柄として受け止められますね。

石部　なるほど、そうですか。

日本初の公害訴訟が山梨で起きていた

椎名　今日はその公害のお話をしましょう。公害訴訟というと、戦後の高度成長期に起こった熊本と新潟の水俣病、イタイイタイ病、四日市ぜんそくが四大公害裁判と言われますが、日本で初めての公害訴訟は山梨で起きています。

石部　えっ、日本初の公害訴訟ですか。

椎名　それが「信玄公旗掛松事件」です。現在の中央線日野春駅の近くにあった立派な松で、武田信玄が信州を攻める際に軍旗を立てたという言い伝えがありました。一九〇六年に日野春駅が開業して間もなくの写真には、立派な姿の松の木が写っています。この松の所有者が裁判の原告となった清水倫茂《りんも》さんでした。清水さんは、北巨摩郡甲村（現・北杜市高根町下黒沢）在住の地主さんで、甲村村長や北巨摩郡会議員を務めたこともある地元名士でした。自分のやりたいことは自由にやるという熱血漢タイプだったと伝えられています。合資会社甲斐銀行取締役頭取もやった資産家でもあったようです。

石部　そういう方が訴訟まで起こしたのにはどんな事情があったのですか。

椎名　中央線が甲府から先、長野方面に路線が延ばされると決まった時に、清水さんは、建設主体である国の機関の鉄道院に、「松を守るため、線路を松の根元から四メートル以上離すように計画変更してほしい」と再三にわたり上申書で願い出ていたんです。でも、鉄道院は「松に影響が出ることはない」と要求を拒否して、保護の措置をとることをしませんでした。

石部　その結果どうなりました？

椎名　清水さんの心配していたことは的中して、松は日野春駅が開業した一九〇四年から一〇年後に枯れてしまったんです。蒸気機関車のばい煙と振動が主な原因らしいのですが、日野春の駅舎工事のために枝が切り詰められたとか、貨車の脱線で松が損傷を受ける事故なども手伝ったと言われます。さらに、走行用レールの脇に待避線が引かれて、水蒸気とばい煙を吐き続ける蒸気機関車が長く松の傍らで停車して、松を痛めつけたようです。これについて清水さんが求めた損害賠償請求を国が拒否したことから、一九一七年に甲府地裁で訴訟が開始することになりました。これが日本初の公害訴訟である「信玄公旗掛松事件」ということになります。

鉄道院が強気であった理由

石部　自分の土地を線路が通ることに反対したわけではなく、松から四メートル離してくれと要求しただけなのに、どうして変えることが出来なかったのでしょうか？

椎名　国（鉄道院）が強気で路線を変えなかったのには、背景があるんです。この当時の国の主力産業は絹の生産で、山梨も長野もその主な産地でした。絹製品を、中央線を使って八王子経由で横浜に送り、外国に輸出して外貨を稼いでいました。そして、これを支えたのが女工さんたちで、一八八六年には甲府にあった雨宮製糸場で日本初のストライキが起こっています。この女工さんたちの移動にも鉄道が使われていました。

石部　ストライキも山梨が日本初だったんですね。

椎名　鉄道建設には経済的理由に加えて軍事的意味合いもあったんです。日清戦争に勝利し、日露戦争を前にしたこの時期、兵員や軍需物資の国内輸送に鉄道は欠かすことが出来ないのです。甲武鉄道として都心から八王子まで完成していた中央線の建設は、国家事業として、八王子―塩尻間建設事業が段階的に進められることになっていました。この信玄公旗掛松事件が起きた当時は、後藤新平が初代総裁を務める鉄道院が国の機関として、当面富士見までの建設を担当していたんです。後に、この鉄道院は鉄道省となります。

石部　軍事目的もある国家事業だったから強気だったんですね。

椎名　そうです。甲府―富士見間の中央線建設では、韮崎から先、七里岩の急坂を何回ものスイッチバックを繰り返して登る蒸気機関車に水の補給が不可欠で、そのために設けられたのが日野春駅でした。中央線が日野春を通ることが決まると、地元は大歓迎でした。こうした経済事情や地元の雰囲気を背景にしていたため、鉄道院側としては、「松ごときで路線は変えられない」という強気の姿勢だったようです。

石部　環境問題という概念そのものが無かったでしょうからね。

椎名　そうですね。

壁になった「国家無答責」の原則

椎名　この訴訟について原告の清水さんの弁護にあたったのが藤巻嘉一郎さんでした。藤巻さんは、北巨摩郡青木村（現・韮崎市清哲町青木）出身で、上京して明治法律学校（現・明治大学法学部）で法律を学んで、裁判所判事を務めていましたが、この訴訟に合わせるように判事を辞めて弁護士に転身したんです。原告の清水さんとは、囲碁仲間であったといいます。藤巻さんが判事を辞めてまでこの事件に取り組んだのは、友人である清水さんが受けた理不尽な公害被害への憤りがあったというのです。

石部　損害が生じているのですから、訴訟で争うのは当然のように思いますが。

椎名　たしかに、現在では、憲法一七条に、「何人も、公務員の不法行為により、損害を受けたときは、法律の定めるところにより、国又は公共団体に、その賠償を求めることができる」と明文の規定があり、これに基づいて国家賠償法が制定されています。ところが、明治憲法にはこうした規定がないばかりか、「国家無答責」の原則といって、国家はその活動の結果として国民に損害を生じさせても、それを賠償する責任がないことになっていたんです。

石部　えっ、どういうことですか？　国が何をやっても国民は文句が言えないということですか？

椎名　明治国家の法律整備は、国家元首の権力が強いドイツやイギリスの法制に倣って行われました。英国には「King can do no wrong」つまり、「国は悪をなしえない」という法原則があって、国民は国への損害賠償請求が認められていなかったのです。

石部　このKingを「国」と訳すのは正しいのですか？

椎名　十七世紀以来、Kingすなわち国と理解されて来て、イギリスでは公務上の過失責任は、国家ではなく、それをした公務員個人が負うことになっていました。でも、これでは公務員も大変だし、損害を蒙った国民も十分に救済されないということで、イギリスをはじめ西欧世界では次第に国が責任を負うように変化していました。ところが、この当時の日本では、国家無答責の原則がそのまま認められていたわけです。

石部　それだと、損害を受けた国民は泣き寝入りになりますよね。

椎名　その通りで、初期の国鉄の事故についてもこの考え方がとられていました。一九〇九年、当時の東京府北多摩郡武蔵野村で、中央線の蒸気機関車の火の粉でボヤが生じたため、被害者が鉄道院に賠償を求めたのですが、全く取り合ってもらえませんでした。周辺の人々が鉄道に慣れていなかったせいか鉄道事故も多く発生していました。これも同じ扱いで、全く相手にされなかったようです。当時の人々は、人身事故が多かったために、鉄道のことを「人轢き車」と揶揄していたそうです。

「権利の濫用」認められた

椎名　これに取り組んだ藤巻嘉一郎弁護士は、明治法律学校で学んだフランス法の知識から、「権利の濫用」という原則を持ち出して国家無答責論に対抗しようとしました。現在の民法第一条第三項には、「権利の濫用は、これを許さない」と明文で規定されていますが、これは戦後の一九四七年になって加えられたもので、元々は藤巻さんら民間弁護士が実際の裁判を通じて確立してきた判例上の原則であったのです。「権利の濫用」というのは、行為者にある行為をする権利があるとしても、それが他の人の権利を侵害する場合には、権利の濫用として違法となるという考え方です。

石部　ここまで伺っただけでも、ドイツの法律とフランスの法律の考え方の違いが分かりますね。

椎名　国の法律観の違いというか、フランスは人民の革命から近代が始まった国ですから。

石部　革命によって勝ち取った「権利」という意識が強いですよね。

椎名　結局、甲府地裁、東京控訴院共に原告の訴えを認めました。これに続いてやはり原告勝訴を認めた大審院判決は、次のような理由を述べています。①不法行為となるのは、行為者に故意（わざとやった）ないし過失（うっかりやった）が必要であるが、国（鉄道院）が松と線路の間に適切な間隔をあけるか、障壁を設置しなかったのは、過失に相当する。②権利行使の適当な範囲を超えたかどうかについては、その行為とその結果として生じた損害とのバランスで判断する。こういう考え方を採用して、国側に責任ありとしています。この判決は、この当時としては画期的なものだと思います。

石部　それで、損害を賠償してもらえたわけですね？

椎名　実は、この判決は責任の所在だけを判断したもので、当時は、今とシステムが違っていて、その後に実際の損害賠償額を決める別の裁判が必要でした。その賠償額の裁判ですが、甲府地裁では、松が枯れた損害について約五〇〇〇円の賠償を認めました。五〇〇〇円というと、この当時としては相当の額です。給与所得者の平均年収がほぼこの位です。

　ところが、東京控訴院ではこれが二二円六〇銭に大幅減額されました。その後の調査で、松の樹齢が一六〇〇年程であることが判明し、信玄の時代とはかけ離れていることが主な理由であったようです。

石部　う〜ん、でも、そのあたりは、言い伝えだから、緩くてもいいのではと思ってしまいますが。

椎名　そうですね。そこで、そういう伝承があったことについて、慰謝料五〇円を認めています。この賠償額については、原告の清水倫茂さんも藤巻嘉一郎弁護士も不満であったようですが、訴訟はここで終わっています。訴訟の費用その他を考えると、実利的にはマイナスの結果になったと思うんですが、ご両人ともに鉄道による公害の責任を認めさせたことに満足したようです。一九三三年には、清水さんが、松があった場所に「信玄公旗掛松碑」と記された石碑を建てました。裏側には事件の経過が藤巻弁護士の書いた漢文で記されています。これは今も日野春駅前に実在しています。

石部　そうですか。それは、日本初の公害訴訟が山梨で起きたという証でもあるわけですね。日野春駅を訪れた方は、ぜひ見ていただきたいですね。

津島美知子『回想の太宰治』を読む

（二〇一八年六月一九日放送）

桜桃忌にちなんで

石部　今日は六月一九日、桜桃忌ですね。

椎名　太宰が昭和二三年（一九四八年）六月一三日に愛人の山崎富栄と玉川上水に入水心中をして、その遺体が見つかったのが六月一九日です。それで今日が桜桃忌になっているわけです。

石部　『桜桃』という作品がありますね。山梨ではちょうどサクランボがたわわに実る頃です。

椎名　このコーナーでは、以前、「山梨ゆかりの人々」という、一種のシリーズを考えて、金子文子や石橋湛山などを取り上げて来ました。それで、久しぶりに、山梨出身者を取り上げてみたいと思います。今回桜桃忌にちなんで、小説家太宰治の妻であった津島（旧姓石原）美知子のことをお話ししようと思います。津島美知子は『回想の太宰治』（一九七八年人文書院）という本を書いているんですが、これがすごい本です。読んでみて、もしかしたら太宰より文章がうまいのではないかと思いました。

石部　私は、何というか……太宰治より男らしいのではないかという気がしました（笑）。

山梨での太宰治と津島（石原）美知子

椎名　正直なところ、私は太宰治の小説は、あまり好きではありません。例えば、最後の作品になった『人間失格』には、なんとも言えない病的な陰鬱さがあり過ぎると思います。これに対して、山梨での暮らしを太宰にしては比較的淡々と綴っている『富嶽百景』は、何気ない表現がうまいと思うし、何よりも私たちになじみのある世界を描いているので親しみを感じますね。

石部　そうですね。

椎名　この中で、井伏鱒二の紹介により甲府で見合いをして結婚することになったと書かれているのが、石原美知子（後の津島美知子）です。当時太宰は二九歳、美知子は二六歳でした。太宰はこれ以前に、青森の芸者小山《おやま》初代との同棲や銀座のカフェーの女給との薬物心中未遂（これは本当に死ぬつもりの心中であったかどうか分からないんですがね）などを経験していましたが、見合いの席で、一目で結婚を決めたと書いてあります。津島美知子が一九七八年にまとめた『回想の太宰治』に載っている美知子の写真を見る限り、整った顔立ちだけれども、それほど美人というたぐいの顔ではない。何が太宰の心を決めさせたのかなと思うんです。

石部　私にはアイドルがファンと結婚したようなイメージがありますけど。

椎名　そんなことになるのかも知れないですね。

津島美知子の人となり

椎名　石原美知子は一九一二年島根県浜田市で生まれました。父親が山梨県出身で、東京帝大理学部地理学科を卒業後、各地の旧制中学校長を歴任していて、その赴任先の一つが浜田だったのです。父親が山梨県嘱託として県下の自然調査に従事するようになって、美知子は、甲府高等女学校（現・甲府西高校）から東京女子高等師範（現・お茶の水女子大）という、女性としてのエリート教育を受けて、都留高等女学校で地理・歴史を教えていたわけです。そして、太宰治こと津島修治と一九三八年（昭和一三年）秋に見合いをし、翌一九三九年に井伏鱒二の媒酌で結婚しました。

石部　津島美知子さんは、当時の女性としては超エリートだったのですね。

椎名　その津島美知子が残した『回想の太宰治』という本は、太宰が心中してから三〇年後に刊行されています。これだけの年月を経過することで、自分を残して心中してしまった太宰のことを客観的に書くことができるようになったのかなと思うんですが。ともかく、筆者の文章は淡々としていて、明晰《めいせき》なんです。『回想』の素材となった小さな文章を除くと、この人はこれしか作品を残していない、それが惜しまれるほど、文章の完成度は高いものがあります。

太宰の作品に「幻惑された」美知子

椎名　『回想』は見合い直後に訪ねていった御坂峠での太宰の様子から始まっています。見合いの話が出るまで、石原美知子は太宰の名前も作品も知らなかったと書いてあります。一九三五年の芥川賞選考で次席になっていたので、知る人は知っていたし、熱心なファンもいたのだけれど、この当時は芥川賞が今ほど有名でなかったのか、誰もが知っているわけではないという程度の小説家だったわけです。それが、「著書を二冊読んだだけで会わぬさきからただ彼の天分に幻惑されていたのである」と書かれています。

石部　天分に「幻惑された」わけですか。

椎名　そうですね。実際の人物より、作品で太宰のとりこになってしまったんでしょうね。当時の太宰は、御坂峠の天下茶屋の一室で大作を書こうと苦闘していたわけですね。その太宰を慰めがてら逢いに行ったのだろうと思います。

太宰と美知子にとっての山梨

椎名　一九三八年九月に見合いをして、一一月には婚約を披露、翌年一月に結婚して甲府市御崎町の小さな借家で所帯を持ちました。「御崎神社の近く」と書いてあるから、現在の国立甲府病院のある付近でしょうね。「町はずれだ」とあります。今は北バイパスに近く、立て込んでいるこの一帯も、八〇年前には「人通りも少ない、眠ったような町であった」と書いてある。ここにいたのは半年余りで、太宰が仲間との交流を求めて九月には東京都下の三鷹に移り住んでしまいます。

石部　その頃の三鷹というとどんな場所だったのですか。

椎名　この当時の三鷹は、畑の中にぽつぽつと家がある新開地で、美知子はこの場所に馴染めないでいたようです。ここには、戦争が激しくなって甲府へ疎開する、そして甲府の住まいが戦災で焼かれて津軽へというように、戦火を避ける疎開暮らしをはさんで、合わせて一〇年間いたとあります。心中で太宰が亡くなったことを知ったのもこの三鷹の家だったはずですね。

石部　その後も太宰は山梨によく来ていたようですね。

椎名　三鷹に住まいながら、太宰は山梨を気に入ったのか、戦争が激しくなる前にはしばしば県内各地を訪れています。美知子によると、「太宰は、甲府市内はもちろん、勝沼の葡萄園、夏は月見草でうずまる笛吹川の河原や、甲運亭という川べりの古い料亭、酒折宮や善光寺、湯村温泉、富士川沿いに南下して市川大門町などに足跡を残しているから、やはり郷里（津軽）に次いでは甲州をよく歩いている。」とそう書いてあります。

石部　酒折宮や善光寺というと、まさにこのスタジオの周辺にも太宰の足跡があるのですね。

椎名　そう、太宰がこのあたりを歩いているということです。

山梨への疎開そしてその後

椎名　子どもも生まれていた太宰一家が甲府の美知子の実家に疎開したのは、一九四五年三月末、東京大空襲があって、三鷹あたりにもぼつぼつ爆撃があったから逃げたんですね。甲府なら空襲はないだろうと考えたようですが、七月の甲府空襲で美知子の実家の石原家は全焼してしまいます。大事な荷物の一部は千代田村、現在の甲府市平瀬町の美知子の遠縁の家に預けていて助かったようです。荷物を預けるために太宰が七キロの道を、大八車を曳いて行ったと書いてあります。当時は、こういうことが当たり前だったはずですが、いま考えると徴兵検査で落ちるほど身体の弱い太宰がよくやったものだと思います。太宰について何か実生活に関わることが書いてあるのはここだけなんです。

石部　この本に描かれている太宰には生活感がないんですよね。

椎名　太宰との約一〇年間の結婚生活は、美知子にとっては本当に苦労続きだったと思います。時代は太平洋戦争の直前の時期から戦後の混乱期まで、死んだ後には有名になって、かなりの額の印税が入ってきたようですが、生前の太宰は、作品を書いては売り食いする状態でした。戦後、人気作家の中に入る頃にようやく苦労を脱したわけだけれど、ある時期までは津軽の実家から送ってくる月九〇円の仕送りが頼りで、それも太宰の放蕩に相当部分が消えていたので、家計は決して楽ではなかったようです。

石部　放蕩と言っても、時代が時代ですから、どんな風だったんでしょう。

椎名　太宰は本当に酒が好きだったようです。「家に十分酒肴の用意があり、気の置けない酒友と飲むのが、一番くつろいで飲めたと思う」と美知子は言っています。甲府空襲で美知子の実家が全焼してしまい、短期間市内の知人宅に一家で身を寄せていたのですが、こんな期間も、「こんな焼け野原のどこで飲んでくるのか、知人宅にいる間も毎夜酔って帰っていた」とも書いてあります。

美知子の太宰への思い

椎名　酒とたばこ、そして女性関係には悩まされていたのでしょうが、非難するような言い方はこの本の中にはほとんど出てこないですね。むしろ、「わるい時代に生きて、仕事して、死んで、いま思えばつましい限りであった」と懐かしんでいる書き方なのです。実生活の太宰には、いい夫、いい父親の面がある程度あって、死別後時間がたつにつれて、美知子にはその思い出だけが強く記憶に残っていたのかなと思います。

石部　いい夫、いい父親でなくても、でも好きということもあるかも知れませんね。このあたりがこの夫婦のというか、……夫婦の面白いところですね。

椎名　美知子の太宰への思いが一番よく出ていると思うのが、「旧稿」と題された一文です。太宰の使っていた「書斎の床の間の右寄りにリンゴの空き箱を利用して作った整理棚が置いてあった」。これはモノが無かった時代の工夫ですが、それは新聞紙を下張りにした上に、古い原稿と反故になった原稿用紙をとりまぜて貼ったものでした。太宰の没後は本を入れて引っ越し、その後も十年程整理箱として使っていたけれど、美知子はそれが気になって、水を使って丁寧にはがしてその内容を確かめたと書いてあります。この反故の一部は太宰の全集を編集する段階で、「原型とみられる草稿の断片」として収録されました。これは、作品の魅力から妻となり、最も深く太宰作品を読みこもうとした美知子の思いが本当によく伺える挿話であると思います。

石部　そういうお話を聞くと、作品を通して人を愛したのだと思いますね。ファンがアイドルと結婚したと最初に言いましたが、真のアイドルであり、人生をかけた真のファンだったのですね。椎名先生、いいお話を伺いました。ありがとうございました。

地方病の記憶

（二〇一九年三月五日放送）

石部　「春の小川はさらさら行くよ」の季節になりました。先生は東京から山梨に引っ越してこられましたが、山梨にはそういう情緒のある小川が少ないことに気がつかれましたか？

椎名　そうですね。私が三七年前に、まだ周囲に田圃のある地域に引っ越してきて、いわゆる「側溝」というのが全部コンクリートで固めてあるので不思議に感じたことがあります。

石部　小川ではなく、「水路」が多いですよね。

椎名　これは「地方病」撲滅の対策としてやったんだそうですね。

石部　年配の方からそのように聞いています。

地方病の原因とその症状

椎名　今日は、その「地方病」についてお話ししたいと思います。若い方は「地方病」という言葉そのものをご存知ないかも知れませんね。正式には「日本住血吸虫症」というのです。長いので、今日は、「吸虫症」と呼んでおくことにしましょう。

石部　「日本住血吸虫病」だと思っていましたが、「日本住血吸虫症」が正しいんですね。

椎名　この病気は、幼虫の一時期に「セルカリア」とも呼ばれる、日本住血吸虫という寄生虫が原因で起こるのです。この寄生虫は、人だけでなく他の哺乳動物にも寄生して発病させるんです。水の中で卵から孵った幼虫は、実はそのままでは動物に寄生できないのです。いったん中間宿主のミヤイリガイ、これは細長い巻貝なんですが、これに一時寄生します。

石部　蛍の幼虫がエサにするカワニナに姿が似ているようですね。

椎名　そうです。そのミヤイリガイに寄生し、セルカリアと呼ばれる段階で水路など外界に出てきて、そこで出会った人や獣の皮膚から体内に入り込むんです。

石部　どんな症状を起こすのですか。
椎名　病気は皮膚に炎症を起こすことから始まります。皮膚を食い破って入り込むのです。
石部　傷口などから入るのではなく、自分から食い破って入るんですね。
椎名　この病気の第一段階は、食い破られた皮膚にかゆみなどの炎症を起こすことから始まって、高熱や消化器症状などの急性症状を起こしたあと、体内で成虫に育った吸虫が、肝臓の入り口の血管内部に住み着いて慢性化し、ここで生殖をして増えていくんです。
石部　人間の体内で成長して生殖して増える…うわ～ぁ…。
椎名　成虫は一センチほどの大きさです。やがて寄生虫の数が増えると、一日数千個生まれる卵が肝臓に詰まるようになります。そして肝不全から肝硬変による黄疸、そして腹水増加によって腹部が膨満する「はらっぱり」と呼ばれる症状を起こします。やがて肝硬変ないし肝臓がん、さらには脳血管に卵が詰まると脳疾患を起こします。山梨ではこれらの症状で死に至る者が少なくなかったそうです。
石部　脳血管に詰まるだなんて…最初は一匹の小さな虫が入り込んで、それが大増殖するんですね。

山梨での患者が多かった

椎名　山梨でこれが「地方病」と呼ばれているのは、この病変が山梨県に特に多く発生していたからなんです。「日本住血吸虫」と、「日本」がついていますが、後でお話しするように、世界の各地に生息しています。病原虫の成虫の生きた姿が発見されたのが日本、それも現在の甲府市の一部であったことから「日本」と名前がついているんです。このように、日本各地で猛威をふるいましたけれども、特に山梨ではこの病気が多かったのです。不思議なことに、山梨でも発症者が多い地域と、それほどでもない地域があって、とりわけ多かったのは、甲府盆地西半分です。

石部　椎名先生は、実際にこの病気で亡くなった方をご存知だとか。

椎名　私がこの大学に赴任して間もない時期、国会図書館で働いていた経験を生かして図書館兼務をしていたのですが、洋書の納入をしていた書店の担当者は、旧竜王町の出身で、若い頃に地方病にかかって、一旦完治して働いておられました。年齢は、多分私とあまり変わらない世代だったと思います。その方の話を聞いてみると、元気で働いてはいるが、健康診断を受けると肝臓の数値が悪いということでした。それから数年後に、その方が肝臓がんで亡くなったと知らされました。「吸虫症」というのは、一旦治った後でも決して油断できない病気であることがよく分かりました。

石部　山梨で流行ったのはいつごろからでしょうか。

椎名　この寄生虫がいつ頃この地域に住み着いたのかはよく判りません。戦国時代末期には、すでに、今でいう「吸虫症」にあたる、腹部が大きく膨れる病気に悩まされる人の姿が文書に出て来ます。現在の南アルプス市、旧甲西町の一部にあたる宮沢村と大師村の四九戸は、明治時代初期の一八七四年に全村移転を決めて明治政府に願い出ています。この地帯は甲府盆地でも一番標高が低くて湿地であるために吸虫症が多かったのです。そして、他の標高が高い地域では患者が少ないことを知っていたために、こうした嘆願をしたんです。この時代の新政府はこのような願いをなかなか聞き入れなかったのですが、三〇年経過後の明治末年になって、何度も繰り返される願い出が聞き入れられて全村移転となりました。

石部　湿地から標高の高い地域に移ったんですね。

椎名　地方病によって全村移転をしたのは、全国でもこの一例だけだと参考文献に記されていました。

研究の成果で原因が分かった

椎名　この病気の原因解明はなかなか進みませんでした。石和に住む医師吉岡順作さんは、病死した患者の解剖でそれを明らかにしようとしました。一八九七年、吉岡医師の治療を受けていた清田村、これは、このスタジオから近い現在の甲府市向町にありますが、その清田村在住の女性患者とその家族が、もし亡くなったら、死後に解剖して欲しいと願い出ました。

石部　解剖というのは、当時としては珍しいことですよね。

椎名　江戸時代に処刑者の腑分け、つまり解剖が行われて、日本の西洋医学が進歩し始めました。でも、明治中期にあたるこの当時も、解剖にはなお抵抗感があったんですね。この患者の解剖は、県病院の副院長が執刀して、吉岡医師ほかが助手を務めました。その結果、体内から多量の虫の卵と思われるものが出てきて、地方病が一種の寄生虫によるものと判明したわけです。

石部　それは大きな成果でしたねぇ。

椎名　でも、卵が見つかっただけで、どんな寄生虫であるかはなかなか分かりませんでした。この解剖結果に関心をもったのが、現在の甲府市大里町にあたる大鎌田村で開業していた三神三朗医師でした。三神医師は、飼い猫が腹部膨満の症状を示していたので、これを一九〇四年に解剖して、一センチほどの寄生虫の死骸を数多く発見しました。

石部　患者の解剖から七年後、やっと寄生虫が見つかったんですね。

椎名　これが日本住血吸虫の成虫の姿を最初に発見した瞬間なんです。地方病研究のため山梨に滞在していてこの解剖に立ち会った岡山医専（現・岡山大学医学部）の桂田富士郎教授は、これを「日本住血吸虫」と名付けました。でも、この寄生虫病のメカニズムの解明にはさらに時間がかかりました。

石部　それは、どうしてですか。

椎名　卵が孵って出て来た幼虫を実験動物の体内に移植しても発症しないんです。一九一三年になって、九州大学の宮入慶之助教授が、中間宿主のミヤイリガイを発見します。

石部　宮入医師が発見したから、ミヤイリガイというんですね。

椎名　こうして、ミヤイリガイの体内で育ったセルカリアという段階の病原虫が、水中で犠牲者の体内に入り込むことが確認されました。山梨で地方病が大流行したのは、水田とか水路にミヤイリガイが多くいて、ここから出てくるセルカリアが、裸足で田植えをしている農民とか、水路で遊んでいる子どもの体内に入り込んで伝染するからだと判ったわけです。

石部　なるほど、そういうメカニズムだったんですね。

椎名　病原虫が分かったことで、治療薬が使われましたが、大正期から使われたスチブナールという薬は、一〇回から二〇回注射をする必要がありました。これは副作用も強く、費用もかかって、患者にとっては大きな負担でした。一九七〇年代になって特効薬プラジカンテルが開発され、一日の服用でほぼ完治するようになりました。

石部　この間が長くかかっていますね。大正初期から七〇年代までですから。

ミヤイリガイの撲滅で終息宣言

椎名　山梨県では、当面の対策として、ミヤイリガイの撲滅に力を注ぎました。最初に行われたのは、田んぼや水路などにいるミヤイリガイの個体を拾い集めることで、一定個数を集めると報奨金が出るようなシステムも使われました。でも、これはあまり効果的ではありませんでした。

石部　その対策にはかなりリスクもありますよね。

椎名　そこで、戦後になって、水田などの水路をコンクリートで作り変える事業がかなりの費用をかけて進められました。水の流速が遅いと幼虫は生き延びるけれども、流れの早さが秒速六〇センチ以上になると生息できないことも分かってきて、この面からも対策を進めたんですね。

石部　秒速六〇センチ、そんなことまで分かってきたんですね。

椎名　その結果、一九七八年に山梨県内で発症した患者を最後に、日本国内では新たな患者が発生しておらず、一九九六年に山梨県が終息宣言を出して、地方病は日本国内では撲滅されたということになりました。

石部　県内で「春の小川」の風景が見られない訳がよく分かりました。

椎名　そう、水路を作り変えてしまったんです。ただし、吸虫症は世界的にみると、まだ患者が二億人余り存在するとされています。

石部　二億人もいるんですか。

椎名　そのため、その撲滅に協力するために、国内ではいまも吸虫症の研究が進められています。その拠点の一つである、栃木県壬生町にある独協医大熱帯病寄生虫病学研究講座には、研究用に吸虫症の病原虫に感染させたミヤイリガイが厳重な管理の下で飼われています。この病原虫は、一九六八年頃に甲府市の県立衛生研究所から吸虫症に感染した犬を運んだものの末裔だそうです。この研究室では、カンボジア、フィリピンなどの流行地で住民の健診などに協力しているということです。

石部　日本は、本当に安全になったと考えていいんでしょうか。

椎名　まだ油断はできないでしょう。実は、ミヤイリガイ撲滅の副作用で、蛍の幼虫が食べて育つカワニナが県内ではほぼ壊滅状態になりました。それがいま、各地で徐々に復活しつつあるんですが、それと同時に、ミヤイリガイも復活しつつあるので、警戒を怠ってはいけないと関係者は言うんです。

石部　たしかに、その心配は残っていますね。

椎名　麻布大学獣医学部の二瓶直子研究員も、毎年欠かさず甲府盆地に足を運んで生息状態を確かめているそうです。二瓶さんは、「この半世紀で生息範囲はかなり狭くなったが、まだミヤイリガイが高密度で分布する地域が一部に残っている」とおっしゃっていいます。決して気を抜いてはいけない怖い相手だと肝に銘じたいものですね。

石部　そうなんですね。いい勉強になりました。

甲州財閥の評価をめぐり

（二〇一八年三月二七日放送）

石部　先生は、二〇一七年、山梨学院大学生涯学習センターで「私のやまなし学」という講義をされたそうですね。

椎名　その底流にある発想は、「甲州人は全国の多数派である稲作農民的ではなく、狩猟民的なメンタリティー（精神構造）を持っている」ということです。これについては、昨年一〇月にお話ししました。

石部　あれは面白いお話でした。

椎名　今日は、同じく「やまなし学」で取り上げた、明治期の「甲州財閥」の県外への投資が、山梨の貧困を加速したという分析についてお話ししてみたいと思います。

石部　え？　豊かにしたのではなく、貧困を加速した…ですか？

椎名　東京電力や東武鉄道、東京の地下鉄や今はなくなった都電の元になった市街鉄道網など、中央の発展に貢献した山梨県民の誇りである甲州財閥。リスナーの中には、甲州財閥をこのようにマイナス評価することに疑問を感じられる方もいらっしゃるかと思います。たしかに、貧乏県と言われていた山梨から中央に出て行って、東電や東京ガスなど、現在も超がつく有名企業の土台作りをしたというのですから、山梨出身のスポーツ選手が大活躍しているような誇らしさがあると思います。先日の新聞に、笛吹市一宮町出身の早川徳次を顕彰する「早川徳次ふるさと後援会」が、アジア初の地下鉄「東京地下鉄道」を運営した「地下鉄の父」ということで、ＰＲのために「のりつぐだるま」を作ったという話題が報じられていました。

石部　そうでしたね。私も誇らしく思っています。甲州財閥が明治から昭和にかけて、東京や関西圏、さらには北海道の発展の土台を作ったという功績があることは確かなことですよね。

椎名　それを否定するつもりはありません。これからするお話は、あくまでも山梨の地域経済への影響という観点からの分析です。

若尾逸平、雨宮敬次郎の業績

椎名　甲州財閥の先駆けといえば、重い荷物を担いで東京や松本に行商に出ること二〇年、一八五九年の横浜開港に乗じて甲州の生糸と水晶などを持ち込んで大儲けをした若尾逸平の名前が挙げられますね。以前、大小切り騒動について話した時に、一揆の農民の一部が甲府の若尾逸平商店を襲ったお話をしました。この事件があった一八七二年には既に財をなしていて、高利の金を貸して庶民から憎まれるまでになっていたんです。東郡《ひがしごおり》の農民が若尾商店を襲った根っ子には、若尾が県下の蚕糸業を一手に収め、県庁と組んで特権商人となっていたことへの貧しい養蚕農家の恨みがあったとも言われます。

石部　この方は政治面でも活躍しましたね。

椎名　若尾逸平は一八八九年から初代甲府市長を務めました。一八九〇年に第一回帝国議会が開かれたとき、若尾は山梨県選出の貴族院多額納税者議員として国会入りしました。この時の若尾の納税額は三八九七円、全国の多額納税者の第三位にランクされる大資産家でした。

石部　この頃の「政治とお金」の関係は、今とは全く違ったものだったのではありませんか。

椎名　そのあたりは、十分に考えたことはなかったのですが、少なくとも若尾逸平の場合は、十分にお金を持った上で政治の世界に出て行っていますね。この若尾逸平に次ぐ人物は、「塩山に中央本線を遠回りさせた」と言われる雨宮敬次郎です。

石部　それはもう都市伝説のようになっていますが、大きな誤解があって、勝沼付近の鉄道路線の土地の買収がうまくいかないので、「それなら私の土地を使って下さい」と提供したと私は理解しています。ただ、伊藤博文が甲州にやってきた時に、臨時の駅を自分の家の近くに作ったのは確かなようで、それと話が混同されているのかも知れませんね。

椎名　それは面白い話ですね。その雨宮敬次郎、略称「雨敬」も小規模な行商から身を起こして、生糸相場で儲けたり、暴落でスッテンテンになったりという浮き沈みの多い時期を過ごした後、一八八八年、内輪もめでひどく値が下がった甲武鉄道（現在の中央線の一部）の株を買い占めてこの会社の支配権を手に入れます。この時期、日本の産業界は鉄道建設ブームでした。甲武鉄道は、翌一八八九年に新宿―八王子間を開通させ、その五年後には新宿から東へ飯田町までの路線を開通させます。これは、後の山手線の元になったようです。さらに八王子から甲府までの路線敷設を目的に「山梨鉄道」という会社を設立しました。これが開通したのは一九〇三年のことです。この鉄道事業を通じて雨宮敬次郎は東京の実業界で地位を確立しました。

根津嘉一郎、佐竹作太郎らの世代

椎名　この若尾、雨宮に次ぐ世代が、小野金六、根津嘉一郎、佐竹作太郎らです。小野金六は、若尾や雨宮と同じく行商から身を起こして、米の投機的転売で一定程度の資金を得たあと、第十銀行（現・山梨中央銀行）に入社して若尾に見出されました。その後、新潟での石油採掘に挑戦して失敗しますが、富士川下流に「富士製紙」という会社を起こして製紙事業で安定します。富士から身延までの身延線建設を進めたのも小野金六です。

鉄道事業と言えば根津嘉一郎。若い時には県議会議員二年など、県政界で活躍したのですが、その後上京して株式投資から事業家へ転身します。そこで出会ったのが倒産寸前の東武鉄道でした。根津は路線を群馬・栃木方面へ延ばして、その沿線に、後に日清製粉になる館林製粉、現在の富士重工の前身である中島飛行機、あるいは磐城セメント、松屋百貨店などを創設したり、育てたりしました。やがて、業平橋（現・東京スカイツリー駅）発だった路線を浅草まで引き入れて、地下鉄銀座線と結びつけることに成功します。根津はこのほか、東武東上線、西武鉄道、秩父鉄道など多くの鉄道事業に関係しています。

石部　本当に、多くの鉄道に関係していますね。

椎名　佐竹作太郎は京都の生まれですが、一八七三年、三〇歳の時に藤村県令を頼って甲府に移り住んで、やがて若尾逸平の下で第十銀行頭取になります。佐竹は、東京電力が競争相手の電力会社を買収合併する上で手腕を発揮したと言われています。

石部　関西で活躍した小林一三もこの世代ですよね。

椎名　現在の阪急電鉄や宝塚歌劇団を創設した小林一三は、故郷の韮崎を出て、おっしゃる通り、専ら関西で活躍していて、山梨にほとんど縁がないように考えられそうです。でも、一九〇七年に、後の阪急電鉄の元になる「箕面有馬電気軌道」の創業にあたって、資金確保のために真っ先に訪ねたのが、小野金六、根津嘉一郎、佐竹作太郎などの甲州財閥だったのです。

甲州財閥の活動資金はどこから得たのか

椎名　このように、明治期から昭和前期まで、甲州財閥は日本の経済活動の骨格の主要部分を形成したといっても過言ではないほどです。

石部　ここまで伺うと、確かにそう思います。

椎名　それでは、彼らが活躍した元となった資金はどこから得ていたのでしょうか。それは間違いなく、甲州の庶民の支払う、地代、小作料、借金の利子などであったわけです。たしかに、彼らには相場で大儲けということもあったでしょう。だが、若尾逸平商店が大小切り騒動に決起した東郡の農民に襲われたのは、彼らが若尾のあこぎな高利に怒ったからでなんです。根津が最初の株式投資の軍資金にしたのは、親譲りの広大な田畑を担保にした借金だったわけです。そして、その広大な田畑を耕作していたのは、間違いなく甲州の貧しい小作人たちだったのです。

石部　ああ…そこに繋がるわけですね。

椎名　このように、甲州財閥は県内の小作料や製糸業で得た利益を東京や関西圏の電灯、鉄道、住宅開発などへ投資して利益をあげました。でも、その利益の大部分は中央に残って、山梨は、実は収奪されるばかりだったんです。甲州財閥がこの利益を地元に還元する率は非常に小さかったのです。その中で、根津嘉一郎は、県下の学校にピアノを寄付するなど地元の発展に貢献したと言われていますが、それは彼が山梨から持ち出した資金のうちの一部に過ぎませんでした。

石部　若尾逸平が江戸に出た幕末の時期に、土佐や長州、薩摩などから出て江戸で活躍していた人たちの中に、どの程度「故郷のために」という意識があったかと考えると、やはり故郷のことよりも「天下国家を作る」という意識があったから今の日本が出来たのではないでしょうか。

椎名　まあ、それはその通りです。でも、実際に数字で見ていきますと、明治中期までは、山梨はそれなりに豊かだったんです。全国で真ん中以上だったようです。

石部　そうですか。

椎名　それが、その後、急速に落ち込んでいくんです。それには、世界経済の歴史で言われる南北問題と同じ収奪の構造があったと考えています。例えば、アメリカが中南米で農民を搾取して利益を本国に持ち帰る、イギリスやフランスがアフリカやアジアで得た利益を自国の繁栄に使った構造がこれです。石部さんの好きなコナン・ドイルの「シャーロック・ホームズ」には、東インド会社に投資して、その利潤で優雅な生活をしている階層が描かれていますね。

石部　ああ、そうか。年間何万ポンドという話ですね。

椎名　あれが、収奪の構造なんです。高度成長期の日本も、東南アジアに投資して巨大な利益を上げていました。一九六八年に、私がある仕事でフィリピンに行ったときに、一ペソは八〇円から百円でした。ところが、いまでは、おそらく一ペソ二円程度ではないかと思います。これはフィリピン人の収入と日本人の収入の比の落差を示しています。一九六八年に一対一だったとして、現在は、その後約半世紀間のフィリピンから日本を中心とする先進国への富の移転によって、これが四〇対一になっているということなんです。

石部　なるほど、収奪の構造と言われると、納得するしかないですね。

椎名　このように、中央に資金が出て行ってしまった山梨に対して、長野県の養蚕・製糸業は多くが協同組合として経営されたので、利益のかなりの部分が県内に止まりました。そのために、明治中期以降、それまでほぼ同水準だった長野と山梨の経済に差が生じてきます。このように、南北問題と同じ構造で、山梨は財閥に搾取され、明治中期以降疲弊して行きました。もちろん他の理由もあります。打ち続く水害の影響もあったし、中央政府の厳しい徴税政策も響いたのですが、明治中期まではなお全国の平均以上であった山梨の経済的地位は、その後急速に落ち込んでいきます。その責任の一端は、甲州財閥の経済活動にあると、私は考えています。

石部　今日は甲州財閥について、山梨の地域経済への影響という観点からお話しいただきました。ありがとうございました。

あとがきに代えて

石部　「教えて椎名先生」の三冊目の本が形になりましたね。

椎名　番組を始めてから満一五年、『もっと教えて椎名先生』が出てからでも七年が経過しました。実現できて不思議な思いがしています。

石部　でも『もっと教えて椎名先生』を読み返したら、「あとがきに代えて」の中で「いつの日かまた形にする」と言っていました（笑）。

椎名　（笑）多分、二人の相性がいいから続いたのだと思います。現実社会の問題にあれこれと批判めいた発言もしましたが、意見が大きく対立するということもありませんでした。

石部　意見が対立するなんてとんでもない。私は「聴き手」ですから。

椎名　いやいや、巧みに引き出してくれたからこそ、あれこれと話せたのだと思います。それから、「この言葉はラジオで聞いたらわかりません」とか、「これは知らない方の方が多いのでは」とか、常に多くの人にわかりやすいことを心掛けてくれました。感謝しています。

石部　それは椎名先生が以前おっしゃったのです。「普通の人にわかるように話せなければ教育者とは言えない」と。私も、易しく話すことと話の質を落とすことは別だと考えていて、先生の想いはよくわかりました。

椎名　資料集めをはじめ、どういう視点からお話ししたらいいかなど、それなりに全力を傾けてきたつもりです。

石部　これまでずいぶん手厳しい政権批判や歴史の解釈なども伺ってきて、正直なところ時には肝を冷やすこともありましたが（笑）先生のご批判からは、諦めていないこと…社会に対する愛情というか…希望を捨てていないことが伝わってきました。

椎名　次の世代、次の次の世代にとって少しでもましな日本であり、世界であるようにという願いが常にどこかにあると思っています。

石部　そのことはきっと、読んでくださった方々にも聴いてくださっている方々にも伝わっていると思います。『ごきげんな昼下がり』は毎週火曜日の正午から三時まで76・3メガヘルツ・FM甲府でお送りしています。「教えて椎名先生」はその中で午後一時四〇分頃から放送中です。放送もお聴きいただければ幸いです。

●この本を書いた人

椎名慎太郎 （しいな・しんたろう）

1940年、東京生まれ。早稲田大学大学院政治学研究科博士課程で行政法を専修。国立国会図書館調査局を経て、1982年から2010年まで山梨学院大学及び同大学院教授。現在、同大学名誉教授。山梨県考古学協会参与。山梨9条の会代表世話人。主な著書として、『遺跡保存を考える』（岩波新書）、『歴史保存と伊場遺跡』（三省堂）、『行政手続法と住民参加』（成文堂）など。

石部典子 （いしべ・のりこ）

山梨生まれ。筑波大学比較文化学類卒業。山梨放送アナウンサーを経て現在フリーアナウンサー。温かく落ち着いた語り口のナレーションには定評がある。「メディアリテラシー」「自己紹介の達人プロジェクト」等の講演・セミナー・授業を行う、元YBSアナウンサーのユニット・I&F Communication主宰。山梨文化学園講師。2012年から2018年まで筑波大学非常勤講師。

2人の著書に『教えて椎名先生』（山梨新報社2010年）『もっと教えて椎名先生』（山梨ふるさと文庫2013年）がある。

教えて椎名先生 prime

二〇二〇年一一月三〇日　第一刷発行

著　者　椎名慎太郎
　　　　石部典子

編　者　株式会社エフエム甲府

発　行　山梨日日新聞社
　　　　〒４００－８５１５
　　　　甲府市北口二丁目六―一〇
　　　　電話０５５（２３１）３１０５（出版部）

印刷所　電　算　印　刷　㈱

ISBN978-4-89710-572-7